Les Enfants
de la Tragédie

France Ducasse

Les Enfants
de la Tragédie

Collection Le Treize noir

La veuve noire, éditrice
145, rue Poincaré, Longueuil, Québec J4L 1B2
(450) 448-8869

Dépôt légal : 2003
Bibliothèque nationale du Canada
Bibliothèque nationale du Québec

Données de catalogage avant publication (Canada)

Ducasse, France

Les Enfants de la Tragédie
(Collection Le Treize noir ; 3)

ISBN 2-9808096-2-4

I. Titre.

PS8557.U238E53 2003 C843'.54 C2003-941229-6
PS9557.U238E53 2003

Illustration de la couverture :
Suzanne Duranceau

Conception de la maquette :
Robert Dolbec

Distribution au Canada : Prologue

Pour Mayanisha

« Il faut vivre sous le signe d'une désinvolture panique, ne rien prendre au sérieux, tout prendre au tragique. »

Roger Nimier

1. Alouette entre la vie et la mort

De l'eau.

— Crache !

De l'eau du robinet.

— Crache !

Encore de l'eau. Vite.

— Crache ! Crache !

Gonflement des paupières. Des oreilles. De la bouche. Lèvres et langue s'épaississent.

— Peut plus cracher.

Le père dit :

— J'appelle l'ambulance.

Elle a peur. Elle a mal. Du mal à respirer. Douleur dans la poitrine. Les yeux anxieux de la mère contredisent ses gestes rassurants, le ton de sa voix.

— Maman, j'étouffe.

Urgence. Cas d'extrême urgence. C'est elle sous l'enflure, elle sur un lit d'hôpital, bousculée, basculant dans le noir, piquée, ranimée. De l'air. De l'air. Pression. Masque à oxygène. Soluté. Surveillance. Son cœur bat trop fort. Elle l'entend aussi dans son doigt, celui qui est relié à une machine.

— Son nom ?

— Alouette.

— Âge ?

— Quatorze ans.

— Vous êtes ses parents ?

— Ses parents. Les parents d'Alouette.

Les gens disent d'habitude que c'est un drôle de nom, un nom d'oiseau, de chanson, mais l'infirmière n'a pas le temps. On est sérieux quand on ranime une Alouette.

— Rassurez-vous, votre fille est hors de danger, vous m'entendez ?

— Hors de danger.

— Elle aurait pu mourir, vous savez. Vous le saviez ?

— Vous avez dit : « mourir » ?

— Mourir.

Ni oiseau ni chanson bien qu'Alouette. Dès sa naissance, le bébé avait la gorge déployée et musicale d'où ce nom d'oiseau que ses parents envoûtés ont choisi le jour où ils entendirent pour la première fois le gazouillement harmonieux de leur nouveau-né. Pour une voix exceptionnelle, que de gorges à la glotte paresseuse, de gosiers secs et de sons aussi pointus et blessants qu'une lame !

Au début, il y avait ce don qui justifiait amplement sa présence en un monde dissonant. Chacun de ses désirs s'accompagnait d'un répertoire de vocalises. Ainsi, à son chant, Jeanne et Jean savaient que l'heure était venue des gestes essentiels : nourrir, laver, bercer. Les parents se relayaient ensuite pour l'endormir. Leurs voix alternées faisaient naître des personnages infatigables. Charmée par la musique des mots, la courageuse Alouette luttait contre le sommeil jusqu'à la fin du conte.

Depuis son retour de sa nuit d'hôpital, elle est « différente ». Soucieuse. Apeurée. Le risque quotidien de mourir la tourmente. L'enfant au naturel joyeux a changé de registre. Il y avait bien eu quelques signes avant-coureurs, des éclats de voix rauque, un répertoire de plus en plus sombre. En perdant de sa légèreté, la voix avait pris du caractère, perdu en finesse et en nuances ce qu'elle avait gagné en puissance. Alouette chantait juste ; elle chante faux, même quand elle parle, elle parle faux, non pas faux par manque d'oreille, mais par défi. Est-ce pour le plaisir de choquer et de s'accorder à la cacophonie ambiante ou exaspération, mélancolie, fatigue ?

Chaque jour, l'enfant se désaccorde comme un instrument dont on joue mal. L'adolescente souffre, elle s'assombrit. La mine morose et sans remuer, elle écoute une musique assourdissante qui se joue de ses rares tentatives de réflexion. Elle ne chante plus, il n'y a pas d'air, pas de paroles audibles. Comme un cœur qui bat, le rythme seul la maintient artificiellement en vie. Un luthier dirait qu'il y a danger que les cordes cassent, mais on ne consulte pas de luthier quand on est fait de chair et d'os.

Le monde est tellement plus terne et triste que la jeune fille se l'imaginait. Ce qu'elle apprend l'étouffe. Elle ne voyait pas la planète ainsi, quadrillée de frontières mal cicatrisées. Avant la géographie, la terre était une vallée, un fleuve, de vieilles collines tendrement arrondies, un horizon, une grande bouffée d'air frais. Que penser des volcans, des raz de marée, de la terre qui tremble, dévaste, dévore, engloutit ? À ces cauchemars s'ajoute l'histoire des empereurs, des rois, des chefs d'État, des présidents, des premiers ministres aux grandes ambitions, grandes armées, courtes vues. L'école se targue en plus d'enseigner la logique fondée sur des abstractions auxquelles on lui demande de croire. À croire que le calcul est une religion ! Alouette a beau travailler, elle a de mauvaises notes. Même en français. Surtout en français. À disséquer des phrases isolées qui ne racontent rien, les mots perdent leur sens, ils ne sont plus que des noms communs, des adjectifs sans qualités et des verbes obnubilés par le temps qui passe. Les analyses de textes la révoltent.

Alouette refuse de livrer son amour des mots à cette boucherie.

Alouette ne s'endort jamais le soir sans des heures de lecture. Elle se couche donc plus tard qu'il n'est suggéré aux jeunes de son âge. De ses professeurs, les parents reçoivent parfois un message pour les encourager à plus de discipline, car l'élève s'endort en classe et ne fournit pas tous les efforts prévus dans le programme. Pourquoi punir une enfant qui lit dix livres plutôt que dix fois le même livre obligatoire ?

Si certains adolescents préfèrent, quant à eux, se colleter avec la vraie vie, Alouette rêve violemment d'y échapper. Est-ce un crime ?

« À l'école, dit-elle, on apprend surtout à se faire disputer. »

Elle ne veut plus y aller. Plus du tout. Plus jamais. Un jour, elle vit avec sa famille, sur la terre ferme. Le suivant, elle n'y est plus. Elle est dans le grand pin qui ombrage la cour et ne veut plus en redescendre. On craint pour sa vie. Si l'adolescente dépressive allait se jeter dans le vide ? Tout ce qu'elle veut pour le moment, c'est qu'on lui permette de rester là-haut,

oui,

là-haut,

dans l'arbre.

Son idée depuis sa résurrection, sa grande idée secrète – comment savoir si l'on peut s'y fier, si l'idée a raison, si ce n'est pas une idée folle –, son idée fixe lui aurait enjoint de grimper dans un pin pour s'y tailler un calame.

Selon Pline l'Ancien, un auteur latin de l'Antiquité romaine, le pin serait l'arbre des écrivains. Les écrivains taillaient dans le grand conifère des calames qui avaient la forme d'une plume d'oie et dont ils se servaient, bien entendu, pour écrire. Mais avant qu'on en fasse usage, les calames durcissaient pendant des mois dans le fumier. Après ce purgatoire, les auteurs de jadis, et Pline en particulier, s'en servaient pour rédiger des livres.

Alouette veut écrire comme on écrit quand on veut écrire, quand on ne veut plus que ça dans la vie, quand la vie est une révélation. L'étape du fumier présente quelques difficultés, mais la mère qui ne veut pas contrarier sa fille a promis d'y penser.

— Tu aurais dû te méfier, Jeanne.

— De quoi, Jean ?

Aux yeux d'une mère qui se réjouit de voir sa fille s'intéresser au moins à quelque chose, alors qu'elle se désespérait de la voir traîner sans but, sans joie, ce projet d'écrire un livre semblait justifier la fabrication artisanale du calame. La chose semblait envisageable, même souhaitable.

— Pourquoi a-t-il fallu qu'elle s'entiche de Pline l'Ancien, veux-tu bien me le dire ? demande Jean. Il n'y a donc pas de nouveau Pline, un Pline le Jeune qui écrirait avec un stylo comme tout le monde ? À ta place, je lui aurais acheté des stylos parfumés, phosphorescents.

— Elle veut la paix.

— Je veux bien. Pourquoi là-haut ? Pourquoi pas dans la maison, au chaud, dans sa chambre ?

La paix. S'il pouvait, son homme lui en fabriquerait une.

De ses propres mains.

— Elle ne peut quand même pas rester là-haut.

— Qui va l'en empêcher ? Toi ?

Alouette a perdu la tête. Que répondre à ceux qui le lui reprochent et accusent la mère et le père de négligence ? Ils auraient, dit-on, toute autorité pour faire descendre l'enfant de son perchoir. N'est-ce pas leur fille après tout ? Ce serait comme qui dirait leur « devoir ». Or, quand ils aidaient Alouette à faire ses devoirs d'écolière, justement, il y avait eu « leçons » au préalable. Maintenant, on leur demande d'intervenir. Au nom de quel savoir ? De quelles règles ?

— Laisse-les dire, Jeanne, c'est sans importance ! Ils vont finir par nous oublier, tu vas voir, ce ne sera pas difficile, ils ont de quoi se changer les idées avec la télévision.

— Tu crois vraiment qu'on va s'habituer, tu penses qu'il faut oublier notre enfant affamée qui gèle là-haut ?

— Mais non, nous, ce n'est pas pareil.

Jean propose de lui construire une plate-forme. Comme il a refait un plancher récemment, des planches de bois franc traînent dans la cave. Il y en aurait assez également pour un auvent. Ainsi, elle serait protégée des intempéries.

— Qu'est-ce qu'on fait pour la nourriture ?

Il réfléchit. Alouette aimerait son père en ce moment même si elle pouvait voir les rides sur son front dégarni. Elle s'amuserait de le voir passer et repasser sa main sur le sommet de son crâne en ayant l'air de penser que là se trouve, dans cette boîte à outils, l'outil par excellence, le maître outil. Il n'y a pas de problème, dit-il toujours. Que des solutions ! La solution est un système de cordes et de poulies qui fonctionne aussi bien à la verticale, de bas en haut et de haut en bas, qu'à l'horizontale, de l'arbre à la maison et vice versa. Ainsi, les besoins essentiels seront assurés grâce à la circulation du nécessaire. On le sent déjà pressé de se mettre au travail.

— Si elle refusait ?

— Elle ne peut pas.

— Elle a quatorze ans, ce n'est plus un bébé !

— Jusqu'à preuve du contraire, ma chère Jeanne, elle ne vole pas encore de ses propres ailes, elle n'est donc pas en mesure de refuser notre aide.

L'homme disparaît dans son atelier. Sa femme patiente au pied de l'arbre. Elle lit à voix haute. Alouette s'endort.

Les camarades de classe se bousculent pour essayer d'apercevoir leur amie. Ils crient son nom, mais elle ne répond pas, elle ne se montre pas. Le peu qu'ils devinent excite leur curiosité. Le père fait une démonstration du fonctionnement de l'appareillage qui assure ses besoins, son confort, sa survie. Les jeunes posent des questions d'ordre pratique. Le comportement d'Alouette échappe toutefois à leur compréhension.

Pour les distraire et tenter si possible une explication, Jean leur raconte l'histoire d'une jeune femme qui aurait passé plus d'un an dans un arbre de l'Ouest américain pour le sauver de vils bûcherons à la solde de non moins vils gens d'affaires qui voulaient l'abattre. L'un des garçons du groupe d'amis d'Alouette, un grand Jack méticuleusement dépeigné, aux cheveux teints d'un noir corbeau, refuse d'écouter. Ce pin a l'air en santé, pas du tout menacé par un entrepreneur ou par quelque maladie.

— Vous-même, monsieur, vous n'aviez pas l'intention de le couper, que je sache ?

La fille de l'Ouest ne peut rien pour celle de l'Est ; le séquoia vénérable pour le pin ; un corbeau pour une alouette.

—Vous connaissez Diogène ?

La quête d'une jeune fille des temps modernes peut-elle se comparer à celle du penseur grec ? Jeanne propose une nouvelle piste.

— Les spécialistes de l'Antiquité ont raconté l'histoire de ce philosophe qui vivait dans un tonneau. Il se moquait, apparemment, de la vanité humaine. Pour ridiculiser ses concitoyens, il se promenait en plein jour dans Athènes avec une lanterne allumée. Il se disait à la recherche d'un homme digne de ce nom.

Sauf qu'Alouette fuit les hommes. Elle n'est pas cynique, pas du tout comme cet excentrique qui vivait sur la place publique, il y a plus de deux mille trois cent cinquante ans, elle ne dénonce rien, ne défend rien. La comparaison est impossible.

Quelqu'un propose donc autre chose. Le choix d'Alouette la rapproche plutôt des ermites qui trouvaient dans l'isolement un affermissement de leur foi. On prononce le nom du Bouddha sous le banian, où il aurait passé d'interminables années à méditer en attendant la « révélation ».

Alouette, entendons-nous bien, n'a ni l'orgueil de Diogène ni la velléité de croire qu'elle est une « élue » et que le monde va profiter de son expérience. Modestement, elle attend que le calame soit prêt. Alouette a besoin du calame pour écrire et, pour écrire, le calame a besoin d'une Alouette. Une évidence. Quel bonheur ! La vie est tellement plus simple qu'on se l'imagine.

Les gens disent :

— Ce n'est pas une vie, ça, madame !

On plaint la pauvre femme qui doit vider le seau d'aisance de sa fille. À une époque révolue, tout le monde le faisait, mais il ne faut plus gaspiller un temps précieux pour des tâches aussi ingrates. Quel esclavage ! De nos jours d'ailleurs, qui fait son ménage ? On engage une femme de ménage !

Quel fardeau tout de même que cette adolescente lunatique et sans cœur ! Évidemment, si on la nourrit, la sert, lui passe ses caprices, il ne faut pas s'étonner de ce qu'elle abuse.

— Un conseil, disent les gens, il faut l'affamer. On va bien voir si elle résiste longtemps, le ventre vide.

Jeanne et Jean ont beau déclarer qu'ils ne se privent de rien d'important, on ne les croit pas. Ils se disent même plutôt impressionnés par la détermination de leur fille. Où aller de toute façon ? Un arbre suffit à prendre racine. Une enfant, pour fonder une famille unie par le temps, le lieu, l'action. Pour écrire ce fameux livre dont rêve Alouette, hormis le calame et le papier, il ne faut que du temps, celui qu'on arrache de force à l'agitation générale, aux obligations. Une patience de coléoptère.

— Qu'est-ce que tu vois ? demande Jean.
— Le ciel de Grèce, répond Alouette.
— Plus bas ?
— La mer.
— *Qu'on voit danser le long des golfes clairs.*
— Plutôt *la mer mé-mé-mé...*
— Méditerranée ?
— Oui.
— Et dans la mer ?
— Deux cents îles.
— Mais encore ?
— L'île de Crète.
— Plus précisément ?
— Cnossos et son palais, son labyrinthe.
— Et que vois-tu dans le labyrinthe ?
— Il y a un monstre, je le vois.
Mais elle aperçoit aussi autre chose, elle s'énerve tout à coup.
— Mon dieu, papa !
— Quoi ?

— Éric.
— Quoi ?
Elle crie.
— Il est tombé.

Le petit Éric n'est pas un monstre, il n'est pas dans le labyrinthe, il n'est ni de Crète ni de Grèce, ni dans la mer Méditerranée. Éric est un petit garçon. Trêve de bavardage, si Jean ne fait pas vite, l'enfant va se noyer.

Jean se précipite chez le quatrième voisin et, sans même prendre le temps d'enlever ses chaussures, il se jette dans la piscine pour y repêcher l'enfant aux yeux grands ouverts au fond de l'eau. À le ranimer ensuite, Jean s'attelle. Bouche contre bouche, l'homme et l'enfant s'embrassent. L'étreinte n'en finit plus. Quand le souffle s'épuise, Jeanne prend la relève. Jeanne et Jean, tour à tour, bouche à bouche.

La gardienne s'était endormie en berçant le bébé. La jeune fille raconte sans rien omettre, avoue son forfait, décrit le sauvetage aux parents d'Éric qui sont enfin de retour. Éric est vivant, il rit, il est dans les bras de sa maman qui rassure la gardienne parce que, pour être honnête, il lui est arrivé à elle aussi de somnoler avec le bébé. Le papa d'Éric ne sait comment prouver sa reconnaissance. Il embrasse Jeanne et Jean. Il remercie Alouette, il est au pied de son arbre, il lui demande pardon, pardon pour tout ce qu'ils ont dit, lui et sa femme, tout ce qu'ils ont pensé, il veut l'absolution. Elle ne dit rien.

— Elle est muette ? demande Éric.

Peu importe. Jamais plus les voisins ne se moqueront de celle qui a sauvé leur enfant. Alouette a sa place désormais, elle veille, prévient quand elle pressent le danger, avant le désastre. En faisant le bien de là-haut, elle s'efforce de grandir avec l'arbre et espère atteindre une hauteur qui lui permettrait d'étendre son champ de vision.

Le calame « griche » activement. Les feuilles achevées tombent du conifère qui, de sa longue vie, n'avait connu que chutes de pommes de pin. Jeanne révise. Alouette corrige. Jean tape. Du travail d'équipe à son meilleur. Évidemment, cette fille aurait pu s'installer dans un lieu plus confortable, mais Alouette n'a pas choisi. À cause du pin qui se trouvait dans sa cour. Le Minotaure non plus quand il fut enfermé dans le labyrinthe !

Alouette dit qu'on sait peu de chose de lui.

— Parce que toi, tu sais ? lui demande sa mère.

— Non.

— Tu inventes ?

— Il me parle.

— Qui ?

— Lui.

— Qui ça, lui ?

— Minotaure.

Deux mois passent. Deux mois de chutes de feuilles blanches gribouillées de noir sous un ciel gris. À la récolte d'automne, Alouette ajoute son grain de tragédie grecque. Chez Jeanne et Jean, il y a beaucoup de monde pour fêter l'événement. Des rafraîchissements sont servis. Alouette va-t-elle consentir à descendre de son arbre ? On ne sait pas. Il fait beau. Les plus jeunes s'étendent sur le tapis de feuilles tombées des érables alentour ou sur des couvertures. Les plus vieux déplient les chaises de parterre et s'assoient confortablement. Les jambes d'Alouette pendent de la branche d'où elle va lire enfin.

Silence ! L'enfant de la Tragédie va parler.

2. MINOTAURE

« Je ne vois rien qu'un monstre qui dévore,
éternellement,
qui remâche éternellement »

Goethe

Le labyrinthe

Je suis mort. Bel et bien mort. Le temps s'écoule très lentement quand on est mort. Une éternité à ruminer d'amers souvenirs !

Il y a longtemps, très, très longtemps, du haut des remparts de son château, le roi Minos me regardait tourner comme une bête féroce dans mon labyrinthe. Son architecte, Dédale, avait conçu les plans de ma « prison ». Comment désigner autrement le lieu où l'on m'enferma, où je passai ma vie et d'où je ne pouvais m'enfuir, bien qu'il n'eût ni portes ni fenêtres, ni même un toit pour cacher ma disgrâce ? Dans ma geôle à ciel ouvert, je souffrais des intempéries, du soleil trop ardent et du regard haineux de mon père.

Certes, moi, fils et taureau du roi Minos, dit « le Minotaure », je fus le maître du dédale. Ainsi j'appelais parfois ma demeure, du nom de celui qui s'était plu à en imaginer l'inextricable lacis de corridors. En monarque absolu, je ne régnais que sur des impasses, je ne pouvais m'échapper de mon royaume boueux, merdeux. Du palais, la vue surplombait mon enceinte. Seul le roi s'attardait là-haut devant le tableau de ma déchéance. Aider le cruel Minotaure à sortir du labyrinthe en le guidant vers l'issue eut été impensable ! Même du haut de l'Olympe, les dieux se moquaient d'une créature telle que moi.

Il était strictement interdit d'escalader les murs du labyrinthe. Un seul osa braver son père, le roi et la loi. Ce fut Icare, fils de Dédale.

Ma mère

Je n'ai jamais su comment il s'y prenait, le sacripant, pour détourner la vigilance des soldats, ni comment il faisait pour grimper. À cheval sur mes murs, Icare s'amusait à me défier en me lançant des cailloux et en criant après moi : « Sors de là, bouvillon, viens te battre ! » Son plaisir consistait à m'énerver, à m'insulter, à m'enrager. Je mugissais à faire frémir tous les habitants de Cnossos.

Je n'ai jamais eu que lui d'ami.

Les facéties du jeune Icare furent tolérées, sans doute parce qu'il était le fils de l'architecte. De par ses fonctions, Dédale jouissait d'un statut particulier. Qui avait édifié pareille forteresse avait trouvé un allié en la personne du roi, lequel fermait les yeux sur l'effronterie du jeune homme.

Icare était le rejeton d'une esclave du palais. Ferme était la voix de cette femme appelant son fils qui faisait dangereusement le fou sur mes murs. De peur qu'il ne perde l'équilibre, elle tempêtait, le sermonnait. Pressé d'échapper à la vindicte maternelle,

Icare me quittait brusquement, non sans m'avoir gratifié d'un clin d'œil.

De ma propre mère, que je devinais enfermée dans le gynécée, je n'entendais que les lointaines lamentations. Quand elle se désolait de la sorte sur son destin, se souciait-elle du mien ? Avait-elle seulement de la tendresse pour moi ? Personne ne pouvait me renseigner. J'étais à la merci des confidences d'Icare qui ne pouvait deviner ce que j'attendais de lui. Me parler de la reine était le dernier de ses soucis.

Avait-on seulement permis à ma mère de jeter un regard sur son fils, le jour où, de ses entrailles, j'étais sorti en la déchirant ? « Horreur ! » devait-on crier dans le palais. « Quel malheur ! » chuchotaient les servantes. La reine, disait-on, avait accouché d'un monstre.

Mon père

Monstre je fus, mi-homme, mi-taureau. Ma naissance fut une malédiction. Les cris de ma pauvre mère répondaient à mes mugissements. Le roi souffrait en maudissant les dieux.

N'était-il pas le seul à blâmer dans cette histoire ? Fier de sa flotte immense qui lui avait permis de contrôler la Méditerranée et d'imposer sa domination sur les Cyclades, où prospéraient de nombreuses colonies soumises à sa puissance, Minos, bouffi d'orgueil, prenait sa gloire au sérieux. Il se voulait admiré sur terre et dans l'Olympe. Telle était sa folie des grandeurs ! Pour se prouver à lui-même qu'il était bien l'égal des dieux, il somma le dieu de la mer, le terrible Poséidon, de faire surgir des flots une bête digne de lui, en échange de quoi le tout-puissant roi de Crète s'engageait à la lui sacrifier conformément à la coutume.

Aussitôt apparut, encore ruisselant d'écume, un gigantesque taureau d'une blancheur éblouissante. Incapable de faire disparaître créature aussi superbe, et malgré la promesse faite à Poséidon, Minos offrit au dieu une autre bête en sacrifice. La supercherie pouvait-elle échapper au puissant dieu de la mer ? Le dieu avait vu l'orgueil du Crétois et s'attendait sûrement à ce qu'il se dérobe. L'occasion était belle de l'humilier : pour se venger, Poséidon bafoué fit en sorte que l'épouse de Minos, la belle Pasiphaé, tombe follement amoureuse de l'animal.

Sur ordre de sa reine aveuglée par la passion, Dédale conçut un stratagème permettant l'accouplement. Instrument de la vengeance d'un dieu, la bête altière allait faire son malheur et le mien.

Qu'est-il advenu de mon vrai père, après qu'il a eu engrossé la reine ? A-t-il été abattu ? J'aime à me l'imaginer, broutant, l'échine forte, dans les vallées fertiles.

Je conçois aussi la rage froide du roi humilié. La clémence ne s'accordait pas avec ce regard dont il me foudroyait du haut de ses remparts.

Et pourtant, Minos ne chercha pas à répudier Pasiphaé. La femme adultère ne fut pas exilée, ni même condamnée à mort. Et qui obligeait le roi à garder en vie ce fils monstrueux et illégitime ? Personne ne lui en aurait voulu de se débarrasser d'un enfant qui n'était pas le sien !

À moins qu'il n'ait cru, en toute bonne foi, être mon géniteur ? Ce premier-né, monstre à tête de taureau, lui rappelait sa faute et la malédiction divine. Il se savait coupable. De là à me tuer ! Il ne put s'y résoudre. Pour se libérer, il m'enferma. En voyant s'agiter la bête sous ses yeux, il se repentait confortablement. Peu lui importait au fond la misère du Minotaure ! Peu importait au dieu des mers mon malheur !

Comment distinguer l'homme des dieux, le dieu des hommes ? Ne sont-ils pas, en tous points, semblables, indignes les uns des autres autant que méprisables ?

N'ayant pas été initié aux traditions qui ponctuaient la vie des hommes, ni aux rituels qui les rattachaient aux divinités, ni même au respect dû à d'injustes souverains, et n'ayant de la vie qu'une maigre expérience, j'accusais hommes et dieux de tous mes maux sans rien excuser, sans chercher à comprendre, à pardonner, sans indulgence.

Mon seul ami

Icare venait souvent me voir. Comme n'importe qui, il croyait que j'étais bête. Ce que j'ai appris du monde hors les murs de mon labyrinthe, c'est à lui que je le dois, à ses délires verbaux. Il pensait à voix haute. Il remarqua assez vite qu'à l'évocation de certains faits, de certaines personnes, la reine, par exemple, ou le grand taureau blanc, je piaffais d'indignation. Me voyant ainsi réagir, il en vint à soupçonner que je comprenais le langage humain. Dès lors, son attitude changea.

À ses yeux, je n'étais plus un monstre ridicule. Ma compagnie lui plaisait d'autant plus, je suppose, que cette « amitié » pouvait choquer les bien-pensants. Je ne lui en veux pas. J'avais besoin de compagnie. Pour agrémenter mon ordinaire, il me jetait des olives, du pain et des poules, qu'il s'amusait ensuite à me voir dévorer sous ses yeux. Mon ami aimait à se repaître du spectacle grossier et brutal que je lui offrais. Après le carnage, il s'enfuyait. Son rire m'accompagnait longtemps. Pour l'entendre rire, j'étais prêt à toutes les ignominies.

Le labyrinthe fut bientôt tapissé de plumes.

Icare n'était qu'un petit voyou. Il disparaissait parfois pendant des semaines. Je me rongeais les sangs à l'attendre, imaginant toujours le pire. Et je tremblais pour mon ami, je craignais pour lui les escarmouches qui tournent mal. J'avais peur, oui, peur, moi, de le perdre. Sans lui, je dépérissais ; sans son rire, j'étais privé de ma seule joie.

À son retour, le fanfaron me faisait le récit fabuleux de ses malfaisances en terre de Crète. « Tu ris, vache qui rit, tête de " beu " ? » me disait-il en voyant mes grands yeux pétiller.

Si tant est que vache rit.

À moi, il pouvait tout dire, tout raconter. Je devenais, en l'écoutant, son complice, un vaurien, un voleur, un frère.

Dédale, mis au courant des larcins et autres délits de son enfant, le battait. Icare détestait cet homme.

Si, au moins, Icare avait eu un maître pour l'instruire, au lieu de traîner dans les rues, des frères, des sœurs, une famille nombreuse et des tâches quotidiennes pour aider les siens, de quoi occuper le corps et l'esprit, il aurait eu mieux à faire que s'acoquiner avec le premier monstre venu ! Et je ne l'aurais pas eu comme ami. J'aurais été le plus malheureux de tous.

L'animal en moi

Un jour, Icare m'apprit que le roi et la reine avaient donné naissance à d'autres enfants après moi.

Normaux ? aurais-je aimé demander.

Mon ami resta sourd à ma question muette.

Ainsi, le même jour, j'appris l'existence de mes deux demi-sœurs, Phèdre et Ariane. L'une était fière et passionnée ; l'autre, belle, tendre et sensible. Phèdre avait du chien ; Ariane tenait plutôt de la biche. Les yeux d'Icare brillaient quand il évoquait la douce Ariane, et je devinai qu'il en était, secrètement, amoureux. J'appris également la naissance et la mort de mon demi-frère, Androgée. En sa quinzième année, le jeune homme avait été envoyé à la cour du roi Égée pour y poursuivre ses apprentissages. Il fut emmené à la chasse et son imprudence le perdit.

J'eus de la peine pour cet enfant mort trop jeune, mais pour son adversaire, le lion, que l'on avait terrassé sans plus de manières, alors qu'il ne faisait que défendre sa vie, j'éprouvai une réelle compassion.

La mort de son fils avait profondément ébranlé Minos, pourtant pas homme à pleurer dans sa toge. La douleur réveilla ses instincts guerriers. Égée, roi d'Athènes, fut tenu responsable de ce nouveau coup du sort. Il y eut combat. Du sang versé en abondance. Le sang des Crétois. Le sang des Athéniens. Aussi rouge l'un que l'autre.

Fort de sa victoire, et en guise de tribut annuel, le roi de Crète exigea que les Athéniens sacrifient au Minotaure sept jeunes gens et sept jeunes filles. Égée n'eut d'autre choix que de se soumettre. Du haut des remparts, Minos veillait à l'exécution.

Le roi avait-il imaginé seul pareil massacre ? N'avait-il pas été conseillé en la matière ? Comment savoir ? Pour compenser la perte d'un prince, on me jeta régulièrement en pâture des jeunes gens de son âge, comme si la mort des uns pouvait effacer la mort de l'autre.

Mes proies fuyaient dans le labyrinthe, hurlaient en m'apercevant, me regardaient, terrorisées, en essayant de se défendre. Leur maladresse excitait mon envie de tuer. Tuer pour tuer. Tuer la beauté du monde. Beauté des corps, des cous et des visages. Des yeux. Si seulement l'une de ces créatures avait daigné poser sur moi un regard différent, si quelqu'un avait eu l'idée de s'adresser à l'homme que j'étais aussi, par moments. On ne voyait que la bête. Les seules femmes que j'eus le bonheur de contempler furent celles qu'on me livra pour que je les dévore.

J'ai aimé, je l'avoue, la chair humaine dont on me gavait. Ce plaisir de la chair était le seul permis dans ma solitude.

Thésée

Jamais personne ne s'accoudait à la balustrade du palais, hormis le roi. Un jour pourtant, une jeune fille s'y pencha. Elle était bien telle qu'Icare me l'avait décrite. Le roi était à son côté, l'obligeant à regarder ce qu'elle refusait de voir.

« Ariane, ma fille, la vue du sang ne doit pas troubler la fille de Minos ! »

Ainsi, il l'entraînait à demeurer impassible devant l'horreur.

Il lui arriva souvent, par la suite, en l'absence de son père, de m'observer du haut de son promontoire. Elle n'avait de pitié que pour mes victimes. Et je devinai qu'elle espérait, avec l'ardeur et la fougue de sa jeunesse, sauver ses semblables d'une fin atroce.

Enfermé à vie pour un crime que je n'avais pas commis, n'étais-je pas, moi aussi, une victime ? Mais à moi, à mon injuste traitement, elle ne prêtait nulle attention.

Un jour, il y eut un nouvel arrivage. Icare m'en informa. Chaque fois qu'il montait sur mes murs, il me lançait une poignée de cailloux. C'était une sorte de code qui voulait dire : « Je suis là, je suis de retour ». Thésée, fils du roi Égée, était au nombre des victimes, m'annonça-t-il. Ce jeune prince s'était lui-même offert en sacrifice, non pour mourir, mais pour avoir l'honneur d'être celui qui allait briser le joug pesant sur son peuple en tuant le Minotaure. De sa force, il ne doutait pas, ni même de sa victoire, mais, pour sortir du labyrinthe, il allait avoir besoin d'aide. Le jeune prisonnier vit sûrement d'un bon œil l'intérêt que lui portait la fille de Minos. Icare avait surpris Ariane et Thésée, échangeant des baisers, des promesses. La jeune femme allait désormais tenter l'impossible pour sauver son jeune prince valeureux. Elle voulait s'enfuir avec lui. L'épouser. Thésée, lui, ne pensait qu'au moyen de s'échapper du labyrinthe. Il n'aimait pas Ariane. Il n'était qu'un ambitieux prêt à tout, à mentir, à tromper pour se faire valoir auprès des Athéniens. C'est du moins ce que croyait Icare. Mais mon ami voyait-il juste dans le manège du prince, ou n'était-il que jaloux ?

L'homme que je suis

Un seul homme pouvait être d'une quelconque aide en ces circonstances. Dédale, bien entendu ! L'architecte avait détruit les plans de l'enceinte, comme le lui avait ordonné Minos, mais il n'était jamais à court d'idées. Pour aider la princesse qui l'en suppliait, il lui remit une pelote de fil. Icare espionnait. Le fils ne connaissait que trop bien le père, peu réputé pour sa grandeur d'âme. Combien avait-il accepté en échange de services corrompus ? De nouveau, Dédale allait jouer un rôle dramatique dans ma vie.

Le jour précédant le sacrifice, j'aperçus ma demi-sœur. Son regard était encore plus dur qu'à l'ordinaire quand elle me vit. Et puis doux quand elle pensa à lui. Pour qu'elle soit heureuse, me suis-je dit alors, fallait-il épargner Thésée et le lui rendre, jeune et beau dans toute sa gloire ? Mourir pour que ces deux-là puissent s'aimer ? Mourir sans avoir aimé. Sans avoir été aimé. Et si, comme le supposait Icare, Thésée n'allait pas respecter son engagement ? Ma mort ne servirait-elle qu'à

41

rendre Ariane malheureuse ? Toutes ces pensées m'étaient une torture.

La foule se pressait déjà à l'extérieur du palais. Chaque année, à pareille date, les gens se bousculaient pour apercevoir les longues tuniques blanches menées au sacrifice. Les gémissements et supplications des immolés faisaient frémir les Crétois, qui se lassaient du défilé lugubre qu'on leur imposait. Ce jour-là, des voix s'élevèrent pour crier à l'injustice. L'idée de voir mourir tant de jeunes gens inutilement révoltait les cœurs, qui commençaient à critiquer le trop puissant roi de Crète.

Tant de voix à l'unisson demandant grâce pour les Athéniens, mais nulle âme qui vive pour prendre ma défense !

À mort on me condamnait. « Mort au Minotaure ! » criait-on pendant que sept jeunes gens et sept jeunes filles disparaissaient dans le labyrinthe. Dans ma détresse, je poussai un effroyable mugissement. La population s'effraya. Se dispersa. Il n'y avait plus rien à voir.

Une ombre

Que ce Thésée fût naïf de croire qu'à mains nues il pouvait m'abattre sans que j'eusse permis une telle chose !

Quand il me trouva, je faisais semblant de dormir. J'étais si las de servir les desseins d'un roi qui me méprisait et d'être le complice involontaire d'une vengeance qui n'était pas la mienne, las d'offrir des frissons aux gens avides d'émotions fortes, las de cette vie, las du ciel sur ma tête, du poids du ciel sur ma tête, du poids de ma tête et des élans de mon cœur.

Ma décision était prise. Je me livrai sans réagir à la violence des coups. Thésée, dont les forces étaient décuplées par l'envie de vivre, s'acharna sur moi sans s'étonner le moins du monde de la facilité avec laquelle il venait à bout du Minotaure. Avant de mourir, j'eus une pensée pour Icare.

Où était mon ami ?

Pourquoi m'avait-il abandonné ?

Le désespoir est un poison qui tue, lui aussi. Un supplice. Tandis que je mourais, je sentis une pluie de cailloux s'abattre sur mon pauvre corps d'homme... brisé. Je crois même avoir souri, dans un dernier sursaut.

Si tant est que vache sourit.

Le temps est long quand on est mort.

Qu'est-il advenu de Thésée ? Je suppose qu'il a, grâce au fil d'Ariane attaché à l'entrée du labyrinthe et déroulé jusqu'à moi, retrouvé son chemin. Le mien n'est qu'un dédale inextricable de souvenirs dont l'amertume s'enroule et se déroule sans fin sur la rive du fleuve Achéron. Le dieu Hermès a jugé bon de m'en interdire le passage. Qui voudrait d'une bête dans le royaume des Bienheureux ?

Ombre dans l'empire des Ombres silencieuses, j'arpente la grève et je rumine l'injustice éternelle en comptant et en recomptant les cailloux.

3. De calame en dédales,
Alouette revit

À chaque invité, on remet solennellement un caillou. Les applaudissements sont vibrants, sincères. On supplie l'auteure de descendre, parce que tout le monde veut la féliciter, l'embrasser, les gens sont émus, mais la jeune fille, comme à son habitude, ne répond pas. Si elle était vraiment sur la terre ferme, les gens oseraient-ils l'approcher ? Trouveraient-ils les mots, la voix pour commenter, le corps pour enlacer et la force qu'il faut dans la poignée de main ? Il y a fort à parier qu'ils se contenteraient de sourire timidement en caressant leur caillou.

Alouette se montre. Elle domine l'assemblée, mais sans arrogance. Comme on insiste, elle disparaît. Avec une agilité déconcertante, elle est remontée là-haut. Rien ni personne ne peut l'obliger à changer de vie. Sa vie est dans l'arbre.

Jeanne et Jean pleurent. On cherche les mots qui consolent. Il n'y en a pas. On aide à ranger. Remerciements. Jean et Jeanne restent seuls et séparés, incapables d'aller l'un vers l'autre. Sur les murs de la chambre, ils avaient suspendu des copies de tableaux représentant les grands mythes de l'ancienne Grèce, et ils avaient repeint le plafond en bleu, de ce bleu ciel de Grèce qu'ils s'imaginaient aussi vif qu'un ciel bleu sec d'hiver québécois. Alouette n'avait rien promis. À vrai dire, le sujet n'avait pas été abordé. S'ils ont cru que leur fille allait redescendre et regagner sagement sa chambre, ils s'en repentent. La déception est d'autant plus grande qu'ils avaient passionnément espéré son retour. Pourquoi « retour », puisqu'elle n'est jamais partie ? N'ont-ils pas le bonheur de pouvoir la contempler et de s'entretenir avec elle, de chanter avec elle ? Elle chante de nouveau, même sous la pluie. En dépit de l'humidité, étonnamment, la voix est claire, cristalline. Le mauvais temps a beau chasser les oiseaux, une alouette chante, nourrie d'images : Icare n'a pas dit son dernier mot. Vision. Voix d'outre-tombe. Calame et papier.

Tant passent les jours, la peine passe. Jean accepte des contrats d'ébénisterie. En accaparant le corps et l'esprit, son travail le distrait. D'Alouette, pourtant, il se sent proche, même dans l'oubli, la concentration. Ces deux-là ont des arbres une expérience intime, et c'est donc en sciant, en taillant, en sculptant, en polissant, en vernissant qu'il aime sa fille, d'un amour aussi solide qu'une armoire. Pour elle, justement, il relève un nouveau défi. Si Alouette peut apprendre le dur métier des lettres dans des conditions aussi rudes et austères, pourquoi ne serait-il pas capable de s'attaquer à l'art de la mosaïque ? Il veut fabriquer une table pour sa laborieuse enfant, une table exceptionnelle. Le tableau de la table sera orné d'une mosaïque fine représentant des colombes s'abreuvant à une fontaine sur fond de marbre noir. Comment expliquer le choix d'un tel motif ? Parce que l'homme de notre temps a une fille folle de Pline l'Ancien. Voilà pourquoi. Ce fameux naturaliste et écrivain latin serait l'auteur d'une histoire naturelle en trente-sept volumes dans laquelle il aurait fait la description minutieuse d'une mosaïque romaine. La réalisation de cette œuvre va demander des centaines d'heures de travail. Des milliers de fragments de pâte de verre et de marbre coloré seront juxtaposés pour créer le dessin, chaque pouce carré devant contenir cent soixante-trois tesselles. Enfin, le plateau devra être déposé sur un pied de table que l'ébéniste talentueux imagine semblable à une colonne grecque soutenue par trois pieds griffus. Le père se dit – sans le dire – qu'en voyant l'ouvrage achevé, sa fille sera peut-être tentée de regagner sa chambre pour regarder la table de près, la toucher.

Alouette a toujours été caressante. À défaut d'un corps à enlacer, elle explore le tronc de l'arbre. Les pins sylvestres ont une écorce écailleuse et fendillée, d'un brun grisâtre. Si elle était un pic chevelu, elle aimerait picorer les sillons orangés, qui ont l'air si tendres ! Elle renifle son arbre, elle joue avec les touffes d'aiguilles d'un vert bleuâtre. L'hiver le fait craquer, ses vingt-deux mètres de haut balaient la tempête, protégeant Alouette. D'ailleurs, il faut bien le dire, ses parents ont tout prévu. Jeanne a décousu de vieux manteaux de fourrure dont Jean s'est servi pour tapisser l'abri. Que les moutons, les castors, les renards et les lynx soient remerciés de leurs bienfaits ! Alouette est au chaud. Elle écrit. De l'autre côté des nuages pesants, elle imagine le soleil, le ciel de Grèce, elle voit Icare au beau profil, Icare et ses ailes, la chute d'Icare…

4. ICARE

« … il n'y aurait point tant de grâce
à voler,
tant d'ivresse et tant de soif
à s'élever,
sans tant de poids.
Tout ce que tu portes
t'allège ainsi,
et ce qui sans poids te supporte,
aussi t'alourdit. »

Denys Néron

Enfantillages

J'étais encore un enfant quand je suis mort.
J'évoque à peine cet enfant qu'il surgit, non
pas debout sur ses deux jambes, mais alangui,
allongé, nonchalant. Je me souviens des tor-
rides après-midi de mon enfance. Aux heures
les plus chaudes, je trouvais refuge et fraîcheur
auprès de ma mère, qui se reposait avant de
reprendre les corvées. Comme tant d'autres
prisonniers que le roi Minos ramenait de ses
expéditions guerrières et triomphales, elle
avait été réduite en esclavage. Je n'ai jamais su
d'où ma mère venait, ni ce qu'avait été sa vie
d'avant, et si elle avait encore de la famille.

Elle disait :

« Icare, tu es mon fils,

l'alpha et l'oméga,

ma terre et ma famille,

mon passé, le présent et l'avenir,

ma vie,

mon ciel,

mon seul amour. »

Mon père, lui, était un homme libre.

Libre de ne pas nous aimer.

Comment expliquer autrement que la mère de son fils soit demeurée une esclave, alors qu'un mot de lui aurait pu l'affranchir ? N'était-il pas dans les bonnes grâces du roi Minos ? N'avait-il pas relevé le défi du monarque qui lui avait confié la conception du labyrinthe ? Le grand architecte du royaume, le plus grand, disait-on, le célèbre Dédale, mon cher père, n'avait pas d'amour véritable pour la belle esclave dont il avait abusé, ni pour moi, Icare, l'enfant né de ces tristes ébats. Ni même de pitié pour le Minotaure enfermé dans cette construction infernale dont nul ne pouvait, croyait-on, s'échapper. Le maître d'œuvre était aussi monstrueux que le prisonnier.

Est-ce pour défier mon père que je devins l'allié du Minotaure ? Peut-être. Au début. Pour attirer l'attention de cet homme qui ne s'intéressait pas à moi, ou si peu, si mal, que de bêtises j'ai pu faire ! Cet homme, je le méprisais, lui qui se faisait le complice d'actions cruelles sans en éprouver la moindre honte et qui, par avidité, vendait son art aux plus offrants sans souci des conséquences...

Ainsi, il avait aidé la reine Pasiphaé à s'unir avec le grand taureau blanc que Poséidon avait offert à Minos. Minos avait triché en s'abstenant de le sacrifier, provoquant le courroux du maître des océans.

Pour se venger, le dieu avait enflammé le regard de Pasiphaé pour la bête. Prête à toutes les audaces et tourmentée par une passion à nulle autre pareille, la pauvre reine s'était tournée vers celui qu'elle avait jugé assez habile et astucieux pour l'aider : Dédale avait manigancé, dans le dos du roi Minos, il va de soi, un stratagème pour favoriser l'union contre nature de la dame et de l'animal.

Ignorant le rôle que l'architecte sans scrupules avait joué dans l'accouplement dudit taureau et de sa femme bien-aimée, ignorant même que l'acte eût été consommé, Minos fit appel à Dédale afin que celui-ci réalise une prison pour le monstre enfanté par son épouse, et dont il se croyait le père : le Minotaure, disait-on, se nourrissait de chair humaine. D'où le besoin d'un lieu sûr pour qu'il ne puisse faire de mal à personne. L'imagination de Dédale avait fait le reste.

Vaniteux Dédale ! Il n'avait pu résister au plaisir de me raconter cette histoire. Je ne gardai le secret que pour lui éviter les foudres royales. C'était mon père après tout. Il voulait surtout qu'on l'admire. C'était sa faiblesse. Le moindre de ses défauts.

Le Minotaure me fascinait. Pour l'apercevoir, il suffisait de grimper à un arbre. De l'une des plus hautes branches, je m'élançais sur le mur du labyrinthe. Le risque était de taille. Le cœur battant, j'exécutais le saut ultime avec l'assurance infaillible de la jeunesse. Les gardes avaient ordre de fermer les yeux sur mes singeries.

Je sus plus tard que mon père s'était servi de son influence auprès du roi pour que soient excusés mes enfantillages.

De mon perchoir, je pouvais observer tout à loisir les va-et-vient du Minotaure, dont la réputation excitait mon envie de le mieux connaître. Dire que j'avais pitié de lui en ce temps-là serait mentir ! Longtemps, j'ai cru ce qu'on disait, qu'il était dangereux et sanguinaire. Je ne pensais pas qu'il puisse souffrir. Il me regardait avec ses grands airs, et j'essayais d'imaginer ce qu'il avait dans sa tête de « beu ».

Ne disait-on pas de moi aussi que j'étais une forte tête ? Qui d'ailleurs se souciait de savoir ce que j'avais dans ma tête dure quand je semais la pagaille dans les rues de Cnossos ?

La princesse et moi

Le roi n'était pas sans ignorer mes délits.
J'aimais à troubler l'ordre sur la place publique.
Et, un jour que j'avais été pris sur le fait en
train de détrousser l'un de ces malhonnêtes
citoyens qui, plus habiles que moi, ne se faisaient pas prendre, je fus emmené au palais.

Ce lieu rivalisait presque avec le labyrinthe. Des corridors. Des pièces innombrables.
Sans guide, je m'y serais perdu, le roi n'aurait jamais eu le loisir de m'interroger et je
serais encore vivant. Rien de ce qui allait se
produire n'aurait eu lieu. J'aurais épousé la
plus belle fille de Cnossos. À défaut de celle
que j'aimais et de qui je n'étais pas aimé.

Car, sous le regard de ma princesse adorée,
Ariane, fille de Minos, je n'étais que le pauvre
Icare, mi-libre, mi-esclave. Une tête brûlée !
Bien que j'eusse, comme le prétendait ma mère,
les plus beaux yeux du monde et des épaules
d'homme déjà, mes qualités ne pouvaient en
rien se comparer à celles d'un prince. Mes
rêves d'amour étaient brutaux. Je m'imaginais
enlevant la princesse pour l'emmener dans les
montagnes. Là, libre d'agir à ma guise, je

forçais la belle à partager ma couche terreuse et la vie et la loi d'un rebelle sauvage, mais ô combien irrésistible !

Sans ménagement, je fus donc jeté aux pieds du roi. Il y eut d'abord un silence oppressant. Je m'attendais à tout, sauf à ce qui allait se produire. Très digne, le souverain me confia qu'il venait d'apprendre la mort de son fils, Androgée. Un lion avait croqué la chair tendre du prince et mis fin, d'un seul coup, à quinze ans d'une vie à peine entamée ! Pour venger cette mort injuste et en échange de son pardon royal et définitif (et la main de sa fille ? le roi allait-il me proposer la main de la princesse ? que voulait-il de moi ? quelle serait l'épreuve ?), il me demanda de lui proposer une idée de vengeance. À la mesure de l'offense.

Je ne compris pas tout de suite le parti qu'il m'invitait à prendre. Pour mon bien, disait-il. J'étais sot. Ridicule avec mes prétentions à la main d'Ariane. Il attendait de moi un conseil ! De moi ! Un moins que rien ! Je ne me suis pas méfié. Où se trouvait le fier hors-la-loi, l'intraitable, l'insoumis ? Sans réfléchir, je lui fis part de ce qui, brusquement, me venait à l'esprit.

Ne pouvait-il déclarer la guerre aux Athéniens ? Égée, leur roi, qui avait emmené à la chasse le jeune Androgée sans expérience, n'était-il pas responsable du malheureux accident ? Les Athéniens n'avaient aucun atout, ce qui, à brève échéance, allait permettre à Minos d'exiger un tribut des vaincus. Faute de lui ramener son fils, Égée allait devoir lui livrer, chaque année… sept jeunes gens et sept jeunes filles, lesquels seraient … sacrifiés au Minotaure.

Mon idée dut lui plaire.

Je fus libéré sur-le-champ.

Le monstre et moi

Tant que dura le conflit opposant Crétois et Athéniens, je tentai d'oublier cet épisode dont je n'étais pas particulièrement fier. Tout comme Dédale, je m'étais adapté aux circonstances. Sans souci des conséquences.

Je tenais compagnie au Minotaure. Il me distrayait. Au début, je m'amusais à l'énerver. L'animal était rétif. Indomptable. J'aimais sa fougue. Puis, un jour que j'étais là, pensif, à califourchon sur le mur, je me mis à réfléchir à voix haute. Je fus le premier surpris de découvrir que le Minotaure, qui d'habitude s'agitait nerveusement dans son enclos, se tenait coi, immobile. Il m'écoutait. L'intensité de son attention me troubla. Dans l'esprit du Minotaure enfermé malgré lui, il y avait une intelligence des mots que nul ne soupçonnait.

Que d'heures passées ensuite à lui raconter le monde dans lequel nous vivions ! Il réagissait, et moi, de mon côté, j'essayais de traduire, d'interpréter ce qu'il voulait de me dire avec ses mains, ses yeux, ses cornes, ses larmes. Oui, je l'ai même vu pleurer. Je crois qu'il était mû par le sentiment très fort de l'injustice de sa condition. Je n'avais pas affaire à une bête enragée, mais à un homme, un homme enragé. Et sensible. Quand je le quittais, il poussait fidèlement un beuglement à me déchirer les entrailles. L'homme à l'intérieur du monstre me suppliait de rester.

Lâchetés

Ma mère aurait voulu que je me fasse des amis. J'ai essayé. Mais les fils d'esclaves se méfiaient de moi. N'avais-je pas le droit de circuler parmi les gens de bien qui, eux, soufflaient sur mon passage des vents contraires, malsains et dédaigneux ? Par ma naissance, j'échappais aux nettes distinctions du monde sur lesquelles notre société trouvait son équilibre. Sentant le malaise, je m'amusais à l'amplifier, à l'exagérer, je fanfaronnais. Aux jeunes de mon âge nés en esclavage, je me vantais de mes privilèges, ce qui les agaçait, bien entendu. Comment pouvaient-ils se douter que les autres se moquaient de moi, de moi et de ma mère ? Et que je fuyais sans avoir eu le courage de la défendre ?

Je ne voulais pas qu'elle sache combien j'étais lâche. Pour l'oublier, je me faisais accroire que rien n'avait d'importance pour moi, que de n'être ni d'un monde ni de l'autre me laissait indifférent. Je me faisais plus dur que je ne l'étais. N'étais-je pas libre ? Libre et insolent, je désobéissais à ma mère et aux lois. J'avais cette prétention !

Les remords vinrent plus tard.

Mais à quoi servent les remords quand on est mort ?

Au moindre mauvais coup, les soldats étaient à mes trousses. Ils me rattrapaient. Non pour me livrer au roi, qui avait promis de fermer les yeux après le conseil qu'il m'avait extorqué pour venger la mort de son fils, mais à mon père. Dédale soupirait à l'idée de devoir sévir tant la chose lui pesait. Ses punitions étaient d'un monotone ! Le même bâton servait pour le même châtiment administré avec le même ennui. Pressé d'en finir avec ce qu'il considérait comme son devoir de père, il me battait consciencieusement jusqu'à ce que son bras se fatigue.

On renseignait secrètement ma mère, lui parlant de moi en des termes peu élogieux. L'hypocrisie de ces gens soi-disant bien attentionnés me hérissait, et j'étais plus prompt à me venger qu'à regretter mes propres agissements. Ma mère souffrait, non pas de ces confidences cruelles – peu lui importait le déshonneur, puisqu'elle avait déjà tout perdu –, mais à l'idée qu'il puisse m'arriver malheur.

C'est seulement maintenant, mort, que je comprends sa peine, maintenant qu'il est trop tard, maintenant qu'elle est morte, elle aussi, et depuis si longtemps !

Elle pansait mon dos endolori en pleurant et en maudissant tout bas mon oisiveté, et surtout mon père qui aurait été mieux avisé de faire éduquer son fils, disait-elle, plutôt que de le laisser traîner dans les rues. Sous ses doigts attentionnés, je gémissais, ne trouvant pas les mots pour lui faire savoir que je l'aimais, même si tous mes gestes contredisaient mes pensées. Pour la consoler, je promettais de ne pas recommencer ; j'étais sincère, je m'en voulais de la faire souffrir. Aussitôt pardonné, je recommençais. Plus j'étais mauvais, plus j'avais honte. Plus j'avais honte, plus j'étais mauvais.

Crime ...

Aussitôt guéri de mes blessures, je faisais de nouveau frémir ma mère, quand elle m'apercevait là-haut, sur les murs interdits du labyrinthe. Si j'allais tomber ! Tomber dans l'antre de l'animal ! Tôt ou tard, le Minotaure trouvait sa proie, disait-on, et la dévorait.

Je me croyais à l'abri d'un tel sort. J'avais la conviction de ne pas être en danger auprès du Minotaure. Comment aurais-je pu me méfier de celui que je considérais comme un ami ? Contre toute attente, je m'étais attaché à lui, allant jusqu'à éprouver de l'affection pour ce pauvre jeune homme affublé d'une tête qui ne l'avantageait pas, c'est le moins qu'on puisse dire. Encore qu'à certaines heures, quand le soleil déclinant dorait tout ce qu'il touchait, ses grands yeux de ruminant aux longs cils m'apparussent aussi beaux que fort tristes.

Qu'il fût friand de viande ne faisait pas de lui un insatiable mangeur d'hommes ! Si on lui avait appris les bonnes manières, il se serait peut-être retenu de sauter sur la première cuisse venue. On ne se donna pas cette peine.

Puis le roi revint, victorieux. De son navire, on fit descendre… sept jeunes gens et sept jeunes filles promis à une mort cruelle. Le Minotaure exécuta ce pour quoi on le gardait en vie. À ses cris et à ceux de ses victimes, j'aurais voulu joindre les miens, mais je ne pouvais pas, ils étaient pris dans ma gorge, ils m'étouffaient. Pendant toutes ces années, je voulus oublier le rôle que j'avais joué dans cette affaire. Impunément, je continuai ma vie dépourvue d'ambition.

Enfin, Thésée, fils du roi Égée, s'offrit comme victime. Son père, évidemment, s'y opposait, mais devant la détermination de son fils, il céda. Les Athéniens n'en pouvaient plus de voir leurs enfants sacrifiés. Qui mieux que ce prince, réputé pour son courage, pouvait se mesurer au monstre dévoreur de la jeunesse athénienne ? Ainsi, ce jeune héros volontaire allait, par la force et la ruse, et grâce à l'amour d'Ariane, qui pensait avoir enfin trouvé un prince digne d'elle (ce dont je doutais), tuer le Minotaure endormi et s'enfuir du labyrinthe. Non sans l'aide inattendue de Dédale !

... et châtiment

Trop bouleversé par la mort incompréhensible du Minotaure, je ne voyais pas que l'intervention de Dédale avait du bon. Sans lui, le sacrifice des jeunes Athéniens se serait poursuivi. Il fallait bien mettre un terme à cette boucherie. Je ne pensais, à vrai dire, qu'à ma peine. Qu'à moi, moi, toujours moi ! En pleine révolte, ayant perdu mon seul ami, j'osai l'impardonnable. Je connaissais le coupable. Je le dénonçai.

Après avoir découvert comment l'architecte avait trahi sa confiance, le roi courroucé condamna mon père, responsable, selon lui, de la fuite de Thésée et de sa propre fille, à succomber dans le labyrinthe.

Hélas ! je fus comme mon père condamné par le roi à mourir de faim et de soif dans le labyrinthe, où la dépouille du Minotaure pourrissait sans sépulture. En m'obligeant à subir la disgrâce de mon père, le roi avait été bien inspiré. Pour une fois, j'approuvais le châtiment.

Ma conscience fut mon juge le plus impartial. Ma vie avait basculé et je ne pouvais que m'en repentir amèrement, puisque tout était de ma faute. Ma faute, si nous allions croupir dans ce lieu infect. Si, pendant des années, de jeunes Athéniens avaient péri. Si mon ami n'était plus qu'un cadavre répugnant.

Le pire était de penser à ma mère étourdie de chagrin, qui se lamentait en longeant les murs qui la séparaient de moi, ce fils qu'elle n'allait plus revoir, ni serrer dans ses bras, l'alpha et l'oméga, sa terre et sa famille, son passé, le présent et l'avenir, sa vie, son ciel, son seul amour.

Et pendant que je m'abîmais en regrets inutiles et que par ma faute, ma très grande faute, la mort aurait bientôt raison de nous, pendant que je me morfondais sur notre sort, mon père faisait les cent pas en riant encore de sa trouvaille : une simple pelote de fil avait suffi à sauver les prisonniers ! À la suggestion de mon père, Ariane avait confié la pelote à son amoureux. Thésée n'avait eu qu'à l'attacher, puis à la dérouler jusqu'au monstre. Ayant accompli sa tâche, il avait rebroussé chemin en suivant le fil tendu jusqu'à la sortie et jusqu'aux bras de l'anxieuse Ariane. Un jeu d'enfant !

Dédale était devant moi comme un enfant, justement. Bien que notre situation fût dramatique, il prenait plaisir à me raconter ses idées, les défis surmontés, les machines qu'il avait conçues, les stratagèmes élaborés et toutes ses belles inventions. Il repensait avec délectation à la vache de bois dans laquelle il avait enfermé Pasiphaé, pour attirer sur elle le taureau et pour que, de l'un à l'autre, la semence fasse son chemin. Il me décrivait irrespectueusement la pauvre reine, trempée de sueur, jambes ouvertes. Pour lui, tout était jeu. Même notre condition désespérée l'amusait.

Ma peine et mon père ne faisaient pas bon ménage dans le labyrinthe. Il essayait bien, à sa manière, de me distraire, mais je ne voulais pas être distrait. Je ne voulais pas qu'on me plaigne. Je refusais la pitié de mon père. Je n'étais qu'un orgueilleux et fendant jeune homme confus qui jouait à l'incompris. Un mot seulement, et mon cœur risquait d'éclater tellement il était lourd.

L'odeur pestilentielle me dégoûtait. À mains nues, j'entrepris de creuser une tombe et, tandis que je m'épuisais au travail sous le soleil brûlant, sans oser demander de l'aide, mon père arpentait son nouveau territoire. Il ne pouvait pas rester en place. De crainte d'être séparé de lui, je m'arrachais à ma tâche pour le suivre. Où que nous allions, quelque corridor que nous empruntions, toujours nous retrouvions notre point de départ. Je dus admettre qu'il avait un sens infaillible de l'orientation. Rassuré, je le laissai bientôt à ses pérégrinations dans le labyrinthe, certain qu'il allait me revenir. Au crépuscule, je me mettais néanmoins à craindre qu'il ne se fût égaré. Quand il rentrait, je m'évanouissais presque du bonheur de le revoir. J'avais tellement peur de me retrouver seul ! J'étais si jeune ! J'avais si faim ! Je me sentais las et faible. Il devait avoir soif, lui aussi, mais il n'en laissait rien paraître. Comment parvenait-il à se promener ainsi, le ventre creux, sans montrer aucun signe de faiblesse ou de fatigue ? Où trouvait-il la force ? la volonté ? Il me fallut bien admettre que cet homme était courageux.

Je me rappelai tout à coup l'un de mes derniers méfaits. Il m'arrivait très souvent de voler, dans les cuisines du roi, de quoi me sustenter. Sans vergogne, je cachais de quoi nourrir aussi mon ami enfermé dans le labyrinthe. Il était mort avant que j'eusse pu lui lancer les reliquats de mon dernier larcin. Je sortis alors de ma tunique un morceau de fromage que nous partageâmes, mon père et moi, en silence.

Quand je lui demandai à quoi servait le plan qu'il dressait du labyrinthe sur l'un des murs, puisque l'issue nous en était interdite, il répondit : « À m'occuper l'esprit ». Cette exploration réactivait sa mémoire.

De l'une de ses expéditions, il nous rapporta un soir à boire et à manger : eau, dattes, figues et viande au menu, le tout enveloppé d'un linge noué. Quelqu'un, de l'extérieur, en pleine nuit, nous approvisionnait en lançant par-dessus les murs de quoi nous redonner des forces. Ne restait plus qu'à retrouver le paquet. Du coup, je m'avisai que les efforts de mon père pour comprendre la structure du labyrinthe allaient lui permettre de trouver la nourriture dont nous avions besoin pour survivre. Notre complice au-dehors, ma mère sans l'ombre d'un doute, risquait sa vie pour adoucir la nôtre.

Pauvre goéland !

En dehors de celles qui le menaient à notre pitance, les déambulations de mon père s'interrompirent quand il rapporta un oiseau mort. Je ne voyais pas en quoi cette découverte l'excitait autant. Envisageait-il de le déguster cru ? Cette idée le fit bien rire. Quand enfin il retrouva son souffle, il m'assura que son intention était, non pas de manger le pauvre goéland, mais de l'étudier.

Pendant les jours qui suivirent, je le vis dessiner des ailes sur le sol, dans leurs moindres détails. J'appris qu'une aile était formée de rémiges primaires et secondaires, et de petites et grandes couvertures, ainsi que d'une alule, communément appelée « aile bâtarde », et que toutes ces plumes harmonieusement assemblées devaient leur articulation à quelques os délicats. Du plus gros au plus petit, il y avait l'humérus, le radius, le cubitus, le carpien, les métacarpes et trois doigts. Ainsi constituées, deux ailes, proportionnellement ajustées au poids du corps à soulever, pouvaient arracher n'importe qui à l'attraction terrestre.

Après avoir réalisé de nombreux croquis, il m'enjoignit de ramasser les plumes que je pouvais trouver sur le sol. La terre battue, en effet, était recouverte de plumes, lesquelles avaient appartenu à toutes les poules dont j'avais maintes fois régalé le Minotaure. Mon père demandait aussi des ossements. Peu lui importait la grosseur, la longueur et la provenance desdits os. La récolte fut macabre, mais abondante.

Je commençais, bien entendu, à deviner ses desseins, mais n'osais trop poser de questions de peur qu'il se moque de moi. C'était mal juger mon père qui aurait aimé, au contraire, que je sois plus curieux, plus entreprenant. Je me contentais d'obéir à ses ordres.

Il nous fallut encore plusieurs jours pour trouver tout ce qu'il y avait de cire fondue et de bouts de chandelle abandonnés, sûrement par les jeunes gens menés au sacrifice, auxquels on avait accordé quelques heures de lumière avant la fin.

Un homme privé de nourriture et d'eau ne peut survivre longtemps et, à tout observateur du haut du palais, nous devions donner l'impression d'être à l'agonie. Étant très occupés, la nuit, à construire nos deux grandes paires d'ailes qui allaient nous permettre de nous envoler au plus vite, il ne nous était pas difficile de feindre, le jour, la fatigue. De nos nuits blanches nous sortions épuisés, n'ayant qu'une seule idée en tête, mais de génie : dormir. Notre couche était moelleuse, nous nous étendions sur nos ailes inachevées.

La lune éclairait nos activités. Comme elle était en décroissance et que nous allions manquer de lumière naturelle incessamment, mon père avait calculé cinq jours avant le décollage. Si, comme il aimait à me le répéter, le roi lui interdisait la fuite par la terre ou la mer, lui, Dédale, choisirait le ciel.

Toutes les nuits, il m'enseignait les constellations. De là-haut, celle du taureau me rappelait le Minotaure, et je me plaisais à imaginer qu'il veillait sur moi, frère fidèle et compatissant. Je posais des questions sur le monde dont j'ignorais tout, n'ayant presque rien appris, ni voyagé. Dédale, au mieux de sa connaissance, me laissait entrevoir un monde immense et fabuleux. Jamais nous n'avions été aussi proches ! J'avais de nouveau envie de vivre. Je voulais croire en notre réussite. Emporté parfois par mes émotions, j'élevais la voix au risque d'attirer l'attention sur nous, et mon père me réprimandait durement. Nous avions du travail, disait-il, et très peu de temps devant nous.

Comme nous avions besoin de cordes, nous dûmes nous résoudre à défaire la trame de nos tuniques pour en tresser les fils, espérant que notre soudaine nudité ne donnerait pas l'alerte.

Dès lors, il m'apparût que cet homme que j'avais cru avide et ambitieux n'était mû, en fait, que par une passion pour « l'idée ». Tout défi l'allumait irrésistiblement. C'était un individu au tempérament excessif, enthousiaste à outrance, et qui ne mesurait pas toujours la portée de ses gestes. Un grand esprit animé par la fièvre créatrice. Ne dit-on pas que certains symptômes ne doivent pas être combattus ? La fièvre est une arme dans l'incessante lutte contre les maladies. Mon père combattait l'ennui à sa manière, cette horrible chose qu'il redoutait comme la peste. Pour lui, seule l'action avait un sens. L'échec n'était qu'un pas vers la réussite. De son enfermement dans le labyrinthe un autre ne se serait pas relevé. Pour mon père, ce fut au contraire l'occasion de se surpasser. N'étions-nous pas à la veille de nous envoler ?

Encore fallait-il mettre les ailes à l'épreuve !

Folles espérances

Étrangement, je n'avais pas peur. Quand tout fut prêt, nous enfilâmes nos ailes. Le soleil était déjà à son zénith. J'avais foi en mon père ; lui, en ses ailes.

À quelques secondes du décollage, Dédale me fit tout de même ses dernières recommandations. Il ne voulait pas que je m'approche trop près de l'astre rayonnant. Sa chaleur, qui ferait fondre la cire, pouvait m'être fatale. Je devais donc le suivre, car il connaissait le chemin qui devait nous mener en Italie, où il disait connaître des gens qui nous viendraient en aide.

Alors, tout d'un coup, mon père me prit violemment dans ses bras. Il voulait peut-être me rassurer encore, s'il le pouvait, avec ses bras, ses mains, tout son corps, sa sueur, son odeur. On aurait dit que quelque chose tremblait entre nous. C'était son cœur. Son cœur battait si fort ! Son cœur le trahissait. Il avait peur pour moi.

En m'élevant avec mes ailes fabuleuses, je voyais très clairement les contours de l'île de Crète, mon univers. Ce n'était rien, vu l'étendue du monde qui s'étalait devant moi. Rien ne me retenait plus, ni les directives de mon père, que j'avais cessé de haïr, ni le souvenir douloureux de ma mère, que j'aimais, ni mon île, ma maison, je me sentais libre et fort, et assez raisonnable désormais pour prendre mon envol définitif. Il m'apparut soudainement que je n'avais pas envie de suivre Dédale, qui se dirigeait vers une nouvelle terre d'asile. À tout prendre, je préférais m'éloigner et recommencer ma vie sans lui, sans personne, dans un lieu choisi par moi. Je me sentais d'attaque pour suivre ma voie, pour quitter père et mère, et voler de mes propres ailes.

La mer scintillait de mille feux qui m'éblouissaient. Pour échapper à son éclat insoutenable, je fermai les yeux. Porté par un vent ascendant merveilleusement chaud, je continuai de m'élever.

J'entendis soudain le cri de mon père, qui voulait m'avertir d'un danger. Il était déjà trop tard. La cire commençait à fondre, et je perdis le contrôle de mes ailes. La chute fut rapide. La mer s'ouvrit pour m'avaler. La pression fit éclater mes poumons.

J'étais tellement en vie, ce jour-là, si heureux, ébloui, tous mes muscles déployés, si débordant de rêves et d'espérance ! Comment ai-je pu mourir ? Comment la mort a-t-elle osé s'en prendre à moi et m'emporter ?

Pourquoi les dieux, capables de tous les prodiges, ne m'ont-ils pas sauvé ?

5. Alouette s'amourache d'un garçon de ruelle au beau visage

Alouette au nez rouge soupire et se couvre la bouche avec son écharpe de laine. Ceux qui sont venus l'écouter ont eu le courage d'affronter le froid aussi mordant qu'un soir de parade du Carnaval. En dépit du bon sens, les gens sont venus se geler le front, les sourcils, les cils et les globes oculaires. Ils veulent en savoir plus. Que sont devenus les acteurs du drame d'Icare ? Revêtue d'une pelisse, Alouette ressemble à un ours de méchante humeur, injustement arraché à son hibernation. Elle ne veut pas continuer. Elle ne s'intéresse pas à l'avenir des personnages.

Jeanne, heureusement, prend la relève. Elle connaît bien l'histoire de l'Antiquité, ses mythes et ses légendes. La passion de sa fille vient de là, justement, des histoires que lui racontait sa mère quand elle était petite. Le mont Olympe lui était aussi familier qu'à d'autres les aventures du monde enchanté de Disney.

On veut savoir ce qu'il est advenu de Dédale.

Jeanne raconte qu'il aurait survécu et rejoint l'Italie où sa vie d'oiseau aurait pris fin.

— Au service d'un nouveau roi (les rois sont interchangeables), l'unique Dédale s'engagera dans des réalisations architecturales qui lui vaudront encore l'admiration de ses contemporains.

— Et Ariane ?

— Rappelons-nous qu'elle fut aimée d'Icare, qu'elle n'aimait pas, tout en aimant Thésée, qui ne l'aimait pas. Malgré son sentiment et le fil providentiel, Ariane ne serait pas parvenue à embobiner le prince. Pour se débarrasser de l'encombrante demoiselle qui cherchait à lui passer la corde au cou, Thésée l'abandonnera sur une île, lors d'une escale, puis lèvera l'ancre et prendra la fuite. Le dieu du vin s'y trouvant, il aura pitié de l'amoureuse éconduite et lui proposera de devenir son épouse. L'histoire ne dit pas si Dionysos était ivre quand il fit cette proposition. Ni même si la mariée fut heureuse auprès d'un ivrogne…

— Thésée ?

— Fier de sa victoire sur le Minotaure, mais quelque peu honteux de sa conduite envers celle qui venait de lui sauver la vie (ou pas honteux du tout, plutôt content, qui sait), Thésée retourna chez lui et devint roi à cause d'une étourderie. Son vieux père lui avait fait promettre de hisser des voiles blanches en signe de succès pour qu'il puisse déjà se réjouir en les apercevant. Le prince distrait avait oublié de les changer. Le pauvre monarque crut avoir perdu son fils en apercevant les voiles noires et il se jeta dans la mer. La mer Égée porte son nom.

Jeanne propose maintenant un petit exercice.

— Admettons que Thésée ait hissé les voiles blanches ! Son père ne se serait pas jeté dans la mer. Si Thésée n'avait pas abandonné la princesse Ariane, est-ce à dire qu'il l'aurait épousée ? Supposons qu'il ait été tué par le Minotaure ! Il n'y aurait pas eu de mariage, et le père Égée se serait quand même jeté dans la mer en apprenant le décès de son fils.

— Scientifiquement parlant, précise un jeune homme, l'envol d'Icare et de son père était irréalisable. Si même le décollage avait réussi, la structure des ailes n'aurait pas pu résister à la pression de l'atmosphère. Il y aurait eu chute, mais pour des raisons différentes de celles évoquées. Dédale serait mort, lui aussi. De plus, ajoute-t-il, plus on s'élève dans le ciel, plus il fait froid, ce qui détruit l'hypothèse de la cire fondue.

— Comment expliquez-vous alors que Dédale ait survécu et que, dans les annales de l'Histoire, on ait retrouvé sa trace en Italie ? réplique une dame qui semble exaspérée par l'intervention terre-à-terre du jeune monsieur-je-sais-tout.

Alouette a reconnu le garçon qui passe dans la ruelle les matins de semaine, vers les 8h05, et qui repasse en sens inverse, à 3h45 très exactement. Elle avait déjà remarqué son va-et-vient, comment il ralentit, la cherche des yeux. Il ressemble à l'idée qu'elle se fait d'Icare. Pour décrire le jeune Crétois, elle s'est même servie de lui sans qu'il le sache, elle lui a emprunté son beau visage, sa démarche, son allure. Même de dos, Icare et lui ne font qu'un, ils occupent tout l'espace. Si elle avait été Ariane, elle n'aurait pu résister à un si beau jeune homme !

Cette fois, les gens partent en maugréant contre l'intrus et sa faconde dédaigneuse.

—Jamais vu p'tit gars aussi « petteux de broue », disent-ils.

— T'occupe pas, « y » comprend rien à rien ! disent ceux qui ne veulent pas qu'Alouette soit triste.

Jean essaie de les calmer, d'autant plus que les remarques du jeune garçon l'intéressent. Jeanne pense comme lui. Son opinion mérite davantage que cet accueil offensé. Les gens ont cru bien faire. En couvant leur petite protégée, ils ont injustement rejeté la seule voix dissidente.

Après le départ des invités, qui ont fait la file sous l'arbre pour l'assurer de leur indéfectible soutien, Alouette fait venir ses parents à qui, en secret, elle avoue sa fascination pour le féru de sciences exactes.

— Tu sais comment il s'appelle ?

Jean promet de mener une enquête.

— Discrètement ! supplie Alouette.

— Tu doutes de mes talents de détective ?

Réchauffée par sa passion nouvelle, Alouette ne souffre pas trop des grands froids de février, mais en mars, comme les températures changent brusquement, elle tombe malade. On peut l'entendre tousser et éternuer à un quart de kilomètre à la ronde.

Un matin, Édouard – Jean a fait du beau travail – s'arrête franchement et lance : « Broncho-pneumonie ». Laborieusement, Alouette redescend un peu pour mieux apercevoir celui qui vient d'énoncer hardiment un diagnostic aussi précis.

— Mon oncle est médecin. Je vais lui demander une prescription.

Sans attendre la réponse, il court au bureau du médecin, puis à la pharmacie. Il explique à la mère d'Alouette que l'antibiotique devrait commencer à faire effet dans quarante-huit heures. Il ne s'attarde pas.

— Alouette doit se reposer. Dans deux jours, elle ira mieux.

Il revient, demande de ses nouvelles. Jean dit qu'elle s'est remise au travail. On lui a fourni des dictionnaires de grec et de latin. Elle veut lire Homère et Pline l'Ancien dans le texte.

Alouette émerge souriante et plus travaillante que jamais de sa grosse grippe. Les neiges glissent des toits dans un vacarme joyeux, tout dégoutte, l'arbre aussi, qui a l'air d'un saule pleureur. « Édouard, Édouard », récite Alouette, entremêlant à ses déclinaisons le doux nom de son bien-aimé.

Un enfant, deux, trois, quatre, cinq, les enfants d'Héraclès sont si jeunes ! il faut condenser, condenser.

En travaillant, Alouette essaie de déjouer en pensée les raisonnements cartésiens de son ami Édouard. Un ami ? N'est-ce pas prématuré ? Est-ce parce qu'il s'est inquiété pour elle un jour de toux qu'il est son ami ? D'ailleurs, elle ne l'a pas revu depuis au moins deux semaines. S'il est alité, elle s'en veut de ne pas pouvoir lui venir en aide. Comment savoir s'il est souffrant ? Elle pourrait au moins lui faire parvenir un petit mot d'encouragement ? Et s'il n'était pas souffrant du tout, s'il s'était tout simplement lassé de la petite intellectuelle trop sérieuse, s'il préférait la rue principale à cette ruelle boueuse ? Peut-être qu'il s'est fait des amis, une amie, une vraie, peut-être que c'est fini, qu'elle ne le reverra plus jamais ?

— Maman, maman ! crie-t-elle de là-haut.

Elle accourt. En sanglotant, Alouette déballe son sac à chagrins.

— Je te le dis, maman, pour lui, rien que pour lui, je descendrais de mon arbre. C'est pas croyable ce que je sens.

Elle montre tout, ses papiers, la maison, la terre, le ciel, son cœur, son corps.

Sa mère lui dit qu'elle aurait tellement besoin de l'embrasser, de la serrer dans ses bras.

— Tu me manques, si tu savais.

Mais Alouette remonte se cacher, cacher ses larmes. Jeanne se précipite à l'atelier, dans les bras de son homme. Il ne demande rien, il devine, il a mal, lui aussi, ses mains sont meurtries par la coupe du verre.

6. LES ENFANTS D'HÉRACLÈS

« Romulus permit l'infanticide ; la loi des douze tables le toléra de même, et jusqu'à Constantin, les Romains exposaient ou tuaient impunément leurs enfants. Aristote conseille ce prétendu crime : la secte des Stoïciens le regardait comme louable ; il est encore très en usage à la Chine. »

Sade

Cinquième enfant

Il ne voulait pas que je pleure. Papa disait :
« Arrête de pleurer ! » Mais moi, je ne pouvais
pas. Ça coulait tout seul. Il était tellement en
colère. Rouge de colère. Tellement plus en
colère que d'habitude ! Et je ne savais pas
pourquoi il me frappait.

Je le revois tout le temps comme ce jour-
là ; j'ai beau essayer de me rappeler le reste,
c'est vague, on dirait que je n'ai pas d'autre
souvenir de quand j'étais petit. Peut-être que
c'est le seul souvenir que j'ai, le premier, le
dernier. Je revois aussi ma mère, mais elle ne
m'aide pas. Elle ne bouge pas. Il me semble
que j'avais un frère, des sœurs. C'est vague.
Je ne sais plus. On dirait que je suis mort.

Quatrième enfant

Qu'avions-nous fait de mal pour qu'il nous tue ? Tout s'est passé très vite. Je l'ai vu s'attaquer à mon frère. J'aurais peut-être dû le défendre, maman disait tout le temps qu'il fallait veiller sur le petit frère. Je n'ai pas eu le temps. Faut dire que ça étonne, un père qui tue son enfant. C'est vrai qu'il n'était pas très doux, mais il était fort, c'était le plus fort. Quand il s'est jeté sur moi, je n'avais pas encore compris. Pourvu que mes sœurs lui aient échappé.

Troisième enfant

Je criais. J'avais tellement peur ! J'ai entendu craquer les os de mes frères. J'ai crié : « Maman, maman ! », mais elle était déjà morte, elle ne pouvait rien pour nous. Je ne voulais pas la lâcher. Ma sœur plus grande tirait mon bras pour que je la suive, mais je ne voulais pas quitter notre mère. Pour cet homme enragé, capable de soulever un bœuf, je n'étais qu'une petite fille de rien du tout et, quand je me suis envolée, quand il m'a projetée sur le mur, j'ai pensé : voilà, je vais aller rejoindre ma pauvre maman. Mais ici, je ne l'ai pas retrouvée, je suis toute seule. Mes sœurs ont dû se cacher, elles étaient bien meilleures que moi à ce jeu. Je me souviens. Notre maison était grande et bien pourvue de recoins. À force de chercher et de ne pas les découvrir, il venait toujours un moment où j'imaginais des choses terribles. On les avait enlevées. On leur avait jeté un mauvais sort. Voilà pourquoi je ne pouvais pas les reconnaître sous leur apparence nouvelle ! Encore moins les sauver si elles étaient en danger ! Menacées ! Puis elles réapparaissaient brusquement et se moquaient de mon désarroi. Pourvu qu'elles soient bien cachées !

Deuxième enfant

La petite ne voulait pas me suivre. Il n'y avait pas de temps à perdre. Le père était devenu fou. Alors, j'ai pris la main de ma jumelle et, toutes les deux, nous nous sommes enfuies, nous avons couru. Par ma robe il m'a rattrapée, ma robe s'est déchirée, c'était ma plus belle, ma sœur criait, je lui ai dit : « Cours ! va-t-en ! sauve-toi ! », puis rien, je ne me souviens plus de rien. Si ma sœur était là, je me sentirais moins perdue. Peut-être qu'elle n'est pas morte !

Premier enfant

Je suis la fille d'Héraclès. Comme je suis née avant ma jumelle, m'a-t-on raconté, je suis donc l'aînée de la famille. J'avais une mère, des frères, une sœur, et j'ai vu mon propre père les tuer, ils n'étaient que des noix entre ses mains de géant.

Cet homme, je l'aurais préféré moins beau, moins fort, plus humain. Il était fils de Zeus lui-même, le roi des dieux. De ce géniteur, il avait hérité d'une force surnaturelle. Rien n'était à son épreuve. Ni arme ni monstre, ni esprit malfaisant. Mes frères admiraient ses exploits. Nous, les filles, nous étions fières, il était notre « héros ». Pourtant, nous savions le prix que devait payer notre mère pour avoir épousé un homme tempétueux et, bien qu'elle lui eût donné cinq beaux enfants, il lui en voulait parce que, disait-il, nous n'avions pas hérité de ses dons, à lui.

Il nous aurait voulu forts tout de suite. Quand il jouait avec nous, il nous faisait mal. Chaque fois, notre mère prenait notre défense et le disputait en lui disant qu'il ne connaissait pas sa force. Il la repoussait violemment, si violemment que parfois, souvent… Un rien faisait couler son sang, à elle. Un rien fâchait Héraclès et l'éloignait de nous.

Un jour, pour lui prouver que j'étais bien, moi, la digne fille d'un père tel que lui, je l'invitai à jouer au bras de fer. Alors qu'il me cassait paternellement les os du poignet, je m'étais fait un point d'honneur de ne pas pleurer.

Quand aucun défi ne le sollicitait, il tournait en rond comme s'il était en cage, il se jetait sur les femmes, il demandait à boire. À boire. Et encore à boire.

De ses beuveries nous évitions de parler. Personne ne se doutait de l'enfer que nous vivions auprès de ce « demi-dieu ». Certes, il n'avait peur de rien, nous n'avions rien à craindre du monde tant qu'il était là pour nous défendre, mais nous, ses enfants, nous avions peur de lui.

J'enviais même la plus modeste de nos petites servantes que je savais tendrement aimée de son père.

Toujours il demandait le silence. Il nous trouvait trop agités. Le père doit être content, sa progéniture est tranquille désormais, ses enfants ne jouent plus, ils sont sages, ô combien silencieux !

La nuit où j'ai vu mourir mes frères, ma sœur et ma jumelle, jamais je ne pourrai l'oublier. Je ne pense qu'à leurs petits corps fracassés. Je le déteste. Le temps ne passe pas. La haine non plus. Sans fin la haine depuis qu'il m'a tuée.

Il a bien fait. Moi, huit ans, vivante, sans répit, j'aurais empoisonné son existence.

7. Pour oublier le garçon de ruelle, Alouette s'oublie

— À la suite des crimes dont il s'était rendu coupable, raconte Jeanne, Héraclès a été jugé non par les hommes, mais par les dieux, et condamné à subir douze épreuves. Toutefois, son nom passera à l'Histoire non pas à cause de ses crimes, mais en tant que vainqueur du lion de Némée, de l'Hydre de Lerne, du sanglier d'Érymanthe, de la biche de Cérynie, des oiseaux du lac Stymphale, du taureau de Crète, des cavales de Diomède, des bœufs de Géryon et de Cerbère, le gardien monstrueux des Enfers.

S'attaquer à des monstres qui terrorisaient le peuple, à la rigueur, c'était admissible, mais comment justifier le fait de ramener des Enfers le chien à trois têtes ? pourquoi nettoyer les écuries d'Augias ? dérober les pommes d'or des Hespérides et s'emparer de la ceinture magique de la reine des Amazones ? Quels exploits dérisoires, inutiles, ô combien ridicules !

Jeanne poursuit, aussi précise qu'une enseignante. C'est son métier, d'ailleurs. Professeure d'histoire. Spécialiste de l'Antiquité. Pas étonnant qu'elle se souvienne des moindres détails ! Quand Alouette était petite, sa mère lui avait raconté les travaux d'Héraclès. Loin d'impressionner l'enfant, les soi-disant exploits du héros la révoltaient. Que ce fût ou non pour une bonne cause, Alouette méprisait la force brutale. Cet homme lui faisait peur. Dans la délectation, elle avait ensuite appris les malheurs de l'homme fort. Héraclès avait pris le temps de se remarier et payé cher ses nombreuses infidélités. Après avoir revêtu une tunique empoisonnée par sa nouvelle épouse, il était mort dans des souffrances atroces.

Édouard n'est pas revenu. Alouette n'ose pas s'en plaindre à ses parents. Elle pense encore à lui, elle s'invente des scénarios rocambolesques : Édouard doit s'occuper d'une mère malade et d'un père mourant, ou c'est lui qui est malade, lui qui se meurt en l'appelant, en murmurant son nom. Pour les parents du malheureux, une alouette, c'est un oiseau, le chant du délire de leur enfant à l'agonie. Alouette imagine tout le bien qu'elle pourrait lui faire s'il n'y avait pas Iphigénie. Iphigénie a besoin d'Alouette. Alouette s'oublie.

8. IPHIGÉNIE

« Ah ! que me dites-vous ? Quelle étrange manie
Vous peut faire envier le sort d'Iphigénie ? »

Racine

Promesse d'hyménée

J'étais si jeune quand ils m'ont couchée sur la pierre ! quand le grand prêtre a élevé sur mon cœur le pieu qui devait s'y enfoncer, s'y enfonça. Jamais je ne saurai si mon sacrifice fut apprécié par les dieux à sa juste valeur. Le sang répandu d'une vierge devait apaiser Artémis, qui retenait les vents. Cent mille guerriers attendaient dans le port que les voiles se gonflent. Comme le voulait la coutume, le devin Calchas avait consulté l'oracle ; l'oracle m'avait désignée, moi, Iphigénie, fille d'Agamemnon, roi de Mycènes, commandant en chef de cette armée valeureuse. Son choix me condamnait à la mort.

Pas un seul des cent mille hommes ne contesta la volonté d'Artémis. Mon père était parmi eux, droit, digne, imperturbable, indéchiffrable.

Quelques jours avant mon sacrifice, je jouais encore avec ma sœur et mon frère dans notre palais de Mycènes. Pour organiser des jeux, il n'y avait personne de plus doué que moi. Les filles de mon âge se moquaient de mes inventions. Elles avaient d'autres plaisirs, elles se coiffaient pendant des heures en papotant, elles se cachaient derrière les jalousies qui les soustrayaient au regard des hommes, elles riaient et rougissaient en examinant les beaux cavaliers. Nous étions pubères et donc en âge de nous marier. J'y pensais, mais discrètement. Je n'aimais pas en parler avec mes compagnes. Et quand une promesse d'hyménée nous parvint du camp de soldats où le roi, Agamemnon, était retranché, j'eus du mal à admettre qu'elle était pour moi.

La missive envoyée par mon père à ce sujet était claire et concise. Il avait promis Iphigénie au grand Achille, et la priait de bien vouloir le rejoindre pour que soit officialisée cette union avant que l'armée ne s'embarque pour Troie.

« Quelle chance tu as ! » disait-on autour de moi quand la nouvelle se répandit.

« Achille est tellement beau ! »

« On le dit invincible. »

Achille, roi des Myrmidons, était fils du roi Pélée et de la déesse Thétis, qui avait pris soin de rendre son enfant invulnérable en le plongeant dans les eaux sacrées du Styx. Il aurait fallu être aveugle et ingrate pour refuser un tel homme. Je ne le disais pas, mais j'étais fière d'avoir été choisie.

À la suite de quelles tractations l'affaire s'était-elle conclue ? Les mariages se planifiaient à l'insu des jeunes filles et si le père jugeait l'union profitable, il était en droit de conclure. L'obéissance était une vertu fortement encouragée. Les raisons diplomatiques invoquées pour favoriser l'union d'Iphigénie et d'Achille furent transmises à ma mère qui, bien que surprise par cette précipitation, ne pouvait qu'agréer, pour une fois, le choix de son époux.

Je ne voulais pas paraître vaniteuse et n'osais me réjouir ouvertement de la décision de mon père. J'étais naïve ! Plutôt que de me réjouir, j'avais même de la peine en pensant que ce mariage allait me séparer de lui. La guerre l'avait éloigné, pourtant, mais je croyais que ce serait bref ; l'armée était valeureuse, expérimentée, les chefs de guerre étaient puissants, la victoire était assurée. Bien qu'on ne m'eût pas demandé mon avis, je n'eus aucun mal à me soumettre à la volonté paternelle.

Agamemnon nous avait fait savoir que le temps était compté et que, dans les circonstances, la célébration serait modeste. En revanche, il promettait à son retour une fête grandiose. Néanmoins, il avait ajouté que la présence de ma mère n'était pas souhaitable, étant donné le manque de confort d'un camp de soldats. Il ne voulait pas qu'elle subisse des regards désagréables, et l'enjoignait, de ce fait, à demeurer au palais.

C'était mal connaître Clytemnestre. Cette femme n'était pas soumise à la dure loi des hommes. Même sans le consentement du roi, son mari, elle serait du voyage. J'étais trop jeune et inexpérimentée pour faire la route seule, et elle n'aurait pas trop de ce temps, disait-elle, pour me préparer à ma vie de femme, d'épouse et de reine.

J'admirais son entêtement tout en craignant la désapprobation d'Agamemnon et la scène entre les époux qui allait s'ensuivre. Ces deux-là se disputaient souvent. Leurs engueulades étaient notoires.

Le plus difficile fut de quitter Oreste et Électre. Leur sérieux me fâchait. Je les aurais aimés plus joyeux, légers, empressés. Ma sœur m'en voulait. Mon frère aussi.

« On ne te verra plus. »

« Je reviendrai. »

« Tu ne reviendras pas. »

Électre avait raison, je le savais bien. Après le départ de mon futur mari, je serais emmenée dans mon nouveau royaume pour y attendre son retour.

« Et s'il ne revenait pas ? »

Je rappelai à Oreste qu'Achille était invincible.

Il en doutait. Ma sœur aussi.

Occupée par les préparatifs, je ne pensais pas trop à cette séparation. Je ne pouvais pas me plaindre, étant donné ce que mon père faisait pour moi. L'union était digne de notre famille. En habile stratège, Agamemnon avait tout manigancé (je ne me doutais pas à quel point !) pour nous assurer protection, bonheur et prospérité. C'est du moins ce que je tentai d'expliquer à mon frère et à ma sœur, en achevant ma toilette, plutôt que de me remémorer les bons moments, les agaceries. Pas un son ne sortit de ma gorge quand ils s'éloignèrent après avoir refusé de m'embrasser.

C'est le manque d'eux qui est le plus dur. Ils avaient raison. Depuis que je suis morte, je me souviens de tout ce qu'ils ont certainement oublié. Comment Oreste pinçait délicatement la peau de mon cou quand il essayait de s'endormir dans mes bras. Comment je fus nounou pour ma jeune sœur, qui aimait à tenir mes nattes, mâchouiller mes cheveux et les renifler en s'endormant à son tour. Que de jeux, de tendres disputes, de gros mots partagés en secret ! Les morts n'oublient rien. Les vivants continuent de vivre. Qu'oublier semble doux à qui rumine sans fin !

En chemin

Le trajet fut animé. En me prodiguant ses conseils, ma mère me racontait sa vie, en quelque sorte, et ce qu'elle avait dû endurer avant de devenir une femme forte. Jamais elle n'avait passé autant d'heures auprès de moi ! Secrètement, je me promettais une plus grande intimité avec mes enfants, les enfants d'Achille (à l'idée, je rougissais), je m'imaginais assignant aux servantes d'autres tâches, car je voulais être celle qui lange, lave, habille, nourrit, endort, je me préparais déjà en esprit à tout ce que j'allais leur apprendre et j'espérais un époux à ma ressemblance. Comme j'allais aimer cet homme superbe en le voyant jouer et rire avec nos filles et nos fils !

« Tu souris ? »

Ma mère me parlait des vicissitudes de la vie maritale. Le sourire était choquant.

Révolte

L'issue de toute guerre est incertaine. En nous faisant ses adieux avant de rejoindre son armée, mon père s'était ému. Ses larmes m'avaient effrayée. Ce nouveau conflit l'inquiétait plus que de coutume.

On nous avait expliqué, à nous, les enfants, que l'épouse de Ménélas, la belle Hélène, la plus belle des Grecques, avait été enlevée par Pâris, un Troyen, le fils de Priam, roi de Troie. Le mari voulait se venger et ramener la captive. Les Troyens n'avaient qu'à bien se tenir, parce que tous les rois grecs de l'Hellénie, conduits par Agamemnon lui-même, s'étaient associés au mari bafoué. Grecs contre Troyens. Troyens contre Grecs. Nul besoin d'être fort en calcul pour comprendre l'équation.

Hélène était la sœur de ma mère, et le frère de mon père n'était autre que Ménélas. Cette affaire de famille avait pris une ampleur sans précédent. Des milliers d'hommes étaient prêts à se battre pour une femme dont, par ailleurs et à mon grand étonnement, on médisait. Avait-elle cédé aux avances du beau

111

prince et à ses promesses de vie plus fastueuse, comme certains le prétendaient ? Pour ma part, j'en doutais. Tyndare, son père, lui avait permis de choisir elle-même son époux, un privilège dont peu de femmes pouvaient s'enorgueillir. Entre les nombreux prétendants, tous aussi rois, grecs et valeureux les uns que les autres, Ménélas fut l'heureux élu. Quelle raison aurait eue l'heureuse femme de vouloir quitter un homme qu'elle avait choisi ?

Et puis, on semblait l'oublier, Hélène avait une fille. Je ne pouvais admettre qu'elle eût voulu s'en séparer. Pour qu'Hermione ne souffre pas trop de l'absence de sa mère, j'espérais une victoire rapide et fracassante. Je trouvais émouvant de penser que tant de guerriers n'avaient d'autre but que de réunir une mère et son enfant.

Comme j'étais naïve, aussi bien en amour qu'en politique ! Si le destin m'en avait offert la chance, j'aurais sûrement approfondi l'une et l'autre question.

Tout à la joie de revoir mon père, j'avais presque oublié ma peine de le quitter. J'oscillais donc entre la tristesse et le bonheur sans prêter attention à ce qui m'entourait. L'exclamation de ma mère me sortit brutalement de ma rêverie mélancolique.

Qu'il était sinistre ce camp de soldats ! Elle avait raison. Où étaient les hommes ? On ne voyait personne. Puis l'un d'eux apparut. Visage grave. Cliquetis d'armure. Il nous invita à le suivre. Agamemnon avait l'air sombre et distant. Quand il aperçut Clytemnestre, ses sourcils se froncèrent, mais il ne lui fit aucun reproche. Il ordonna cependant qu'elle fût reconduite à sa tente. Ma mère et moi échangeâmes un regard inquiet. Rien n'était comme nous l'avions imaginé.

Dès que nous fûmes seuls, mon père me prit dans ses bras, en me serrant presque trop fort. Il semblait troublé. Si mon éducation ne m'avait pas enseigné la retenue, je l'aurais bombardé de questions tellement elles se bousculaient dans ma tête. Lui, si loquace d'habitude, ne trouvait pas les mots, puis il me lâcha, se détourna. Le silence était oppressant.

« Tu as fait bon voyage ? »

La question me surprit.

« Qu'y a-t-il père ? » lui demandai-je plutôt que de répondre.

Et parce que j'avais osé la première, il osa. À quoi bon retarder l'aveu ! Il avoua.

Pendant qu'il me racontait ce que la déesse Artémis et les dieux, le devin, l'oracle, les rois et la guerre exigeaient de moi, je tremblais. Chacune de ces volontés acharnées à me dépouiller de la mienne me révoltait. À la leur et à celle du commandant en chef, j'opposais ma propre résolution de vivre avec ce corps, cette chevelure admirée, ces yeux, cette peau douce, ces dents saines, bien plantées, et tout ce dont on m'avait instruite, mes pensées, mes projets, mon appétit. Ce père en qui j'avais mis toute ma confiance et dont je me croyais tendrement aimée pouvait-il vraiment consentir à livrer au bourreau son enfant ?

Comment aurait-il fallu que je réagisse ? Je venais de vivre les derniers jours dans la perspective d'un grand bonheur, et voilà qu'on exigeait de moi le plus injuste des sacrifices. Du moins, est-ce ainsi qu'il m'apparut d'abord. Je repensais à ma sœur et à mon frère que je venais de quitter, j'essayais d'imaginer leur sentiment en apprenant mon triste sort, mais je ne pouvais pas, je ne me voyais que vivante, riante, caressante, avec des enfants, c'est ça, oui, beaucoup d'enfants. Et pendant que j'essayais désespérément d'attendrir le roi avec mes larmes, mes supplications, il répétait, répétait que son devoir l'exigeait, que l'oracle m'avait désignée, que nous n'avions pas le choix, pas le choix, que la justice suivait son cours et que nous devions obéissance aux dieux. En quoi leur avais-je déplu, pouvait-il me le dire ? Comment réparer ma faute, si faute il y avait ? Pourquoi moi ? Pourquoi pas Hermione ?

« Hermione ! » s'exclama-t-il en se durcissant, me repoussant. Si j'avais commis un crime, il ne m'aurait pas regardée plus sévèrement. Oser imaginer une autre à ma place.

Vouloir me sauver en condamnant ma semblable. Quelle indignité pour une fille de roi ! Cet homme d'honneur qu'était mon père ne pouvait admettre que telle avait été ma tentation. Ma lâcheté lui faisait horreur. En moi, il ne reconnaissait plus sa fille. Je ne savais plus où j'en étais. En voulant sauver ma peau, je n'avais gagné que le mépris de mon père, qui attachait une grande importance au respect de la loi. Survivre dans ces conditions me semblait intolérable ! Pourtant, je ne voulais pas mourir, et c'est dans cet état de confusion que je me précipitai dans les bras de ma mère.

Le cri qu'elle poussa fut effroyable. Dans toutes les tentes, les hommes furent atteints par sa colère. Jamais, criait-elle, elle ne laisserait une telle chose se produire. Elle refusait de faire le sacrifice de son Iphigénie. Elle traitait son mari de lâche, les dieux d'assassins, et je tremblais, à l'entendre, que l'Olympe n'exige réparation.

En dépit de mes craintes, je la suivais comme une ombre, elle seule m'apparaissant capable de se battre pour moi. Mais elle me repoussa quand je demandai à l'accompagner auprès de mon père ; je ne voulais pas rester seule, j'avais terriblement peur qu'on vienne me chercher en son absence. Elle fut intraitable. Pendant que je l'attendais, le camp résonnait de leurs éclats de voix.

Achille

Je me souviens du visage tuméfié de ma mère. Clytemnestre avait perdu une bataille. « Non la guerre », m'assura-t-elle en ravalant ses larmes. L'inflexibilité de son mari ne l'avait paralysée qu'en surface ; elle méditait déjà sa revanche. Mon désespoir, jugé déraisonnable, l'exaspérait. Elle m'aurait voulue plus combative. L'adversaire était de taille, d'accord, mais l'échec impensable. Comme j'aurais voulu avoir son assurance !

Elle vit donc arriver Achille avec joie, une joie qu'elle sut aussitôt déguiser en profond accablement. L'homme fut introduit auprès d'une femme défaite. Sans autre préambule, Achille lui fit part de son intention de quitter le camp avec ses soldats. Jusqu'à ce jour, il ignorait tout de la manigance du roi Agamemnon, qui avait inventé un faux prétexte pour faire venir Iphigénie. Insulté que l'on se soit impunément servi de son nom à lui, Achille, sans sa permission, pour tromper la jeune fille en lui offrant un mariage dont le principal intéressé ignorait tout, blessé par cet affront, il menaçait de retirer définitivement son appui à l'armée d'Agamemnon.

Le brave Achille était donc en colère. Quoi de mieux ! Il voulait partir ? Son nom. Son honneur. Son orgueil. Excellent ! Les ingrédients réunis promettaient de l'action, et c'est ce que ma mère escomptait.

Étant donné sa réputation et l'importance de son contingent militaire, seul le roi des Myrmidons pouvait faire renverser une décision aussi cruelle. Encore fallait-il le convaincre de changer ses projets !

Ma mère avait reconnu le parti qu'elle pouvait tirer de cet homme vaniteux. En se jetant à ses pieds (jamais elle ne s'était humiliée à ce point devant personne), elle espérait l'attendrir…

J'eus honte en la voyant ainsi et dégoût pour l'homme qui tolérait cet état de chose, raide et passif devant la reine prostrée. Comment avais-je pu entrevoir avec plaisir un mariage avec cet homme méprisant ? Je me sentais ridicule. Il n'avait ni cœur ni grandeur d'âme, ni bonté. Quel soulagement au fond de ma détresse d'avoir échappé (même si tout n'avait été que fabulation) à un individu dont j'étais certaine qu'il m'aurait rendue malheureuse.

Achille ne pouvait pas être accusé de complicité dans cette affaire puisqu'il avait été lui-même abusé. Son départ intempestif n'aurait servi la cause de personne. La ruse de ma mère consistait à lui offrir l'occasion, en échange d'un petit service, de se venger d'Agamemnon tout en demeurant sur place. Celui-ci ne pouvait se permettre de perdre un combattant de la trempe d'Achille et ça, Clytemnestre le savait. Pour préserver l'orgueil des hommes, il fallait manœuvrer subtilement.

« Si l'oracle se trompait ? » suggéra ma mère.

« Les dieux ne se trompent pas », répliqua le demi-dieu.

« Mais un devin, un vieux devin comme Calchas, pourquoi ne serait-il pas à l'abri des erreurs d'interprétation ? »

Froideur et scepticisme.

Apparemment prise de court (mais elle ne l'était pas), Clytemnestre le supplia de l'écouter encore, et elle s'accrochait à ses jambes pour ne pas qu'il parte. Il y avait une autre possibilité.

Aujourd'hui, je ne me rappelle ce moment qu'avec horreur. Il s'agissait de prouver que la vierge attendue sur l'autel du sacrifice ne l'était plus.

Ma propre mère osait offrir ma virginité sous prétexte qu'il n'y avait aucun autre moyen de me sauver, et l'homme d'honneur n'y trouvait rien à redire. Clytemnestre s'était attendue à ce que le roi au grand cœur refuse, bien entendu, et propose le mariage, un vrai mariage cette fois. Agamemnon n'aurait pas osé s'en prendre à la future épouse du grand Achille. Celui-ci ne perdait rien à s'engager, quitte à répudier son épouse plus tard si cet arrangement lui déplaisait. Mais le monarque se taisait, me dévisageait.

« L'important, continuait ma mère, qui ne voyait pas le gâchis, n'est-il pas de sauver cette enfant ? »

Du coup, je n'étais plus l'enfant de ma mère. Je pris la parole. En vierge offensée, je les chassai tous les deux. Je ne voulais plus de leur intercession dans ma vie : si mon destin m'acculait à la mort, je préférais mourir fièrement plutôt que vivre dans la honte.

Achille partit sans un mot. Ma mère le suivit. Je la savais mécontente de moi, très mécontente.

La nuit porte conseil

Clytemnestre me voulait vivante, quel qu'en soit le prix. Peu lui importaient ma réputation, mes sentiments. La vie seule avait un sens pour celle qui m'avait mise au monde.

Agamemnon, en revanche, me voulait morte. Ce sacrifice était, selon lui, tout à mon honneur. Il me garantissait une renommée éternelle.

Leurs ambitions contradictoires me bouleversaient. J'arrivais mal à comprendre ce que je jugeais comme un excès de sollicitude de la part d'une femme dont jamais je n'aurais pu imaginer l'affection autrement qu'en des formules et des gestes convenus. Dans notre énorme palais, où des centaines de gens se croisaient à toute heure pour assurer un service parfait, la reine avait fort peu de temps pour se consacrer à sa marmaille. Cette femme distante avait peu d'affinités avec la mère qu'elle tentait ardemment de mettre au monde dans un ultime effort. Ses réactions m'apparaissaient tellement excessives, si éloignées du très petit rôle qu'elle me faisait jouer dans sa vie ! Si elle avait été plus affectueuse, j'aurais peut-être mieux admis son désespoir et cette véhémence avec laquelle elle essayait de me défendre. En s'attaquant à l'autorité du roi, des prêtres et des dieux, sa lutte n'en était que plus altière et enflammée, à la mesure de son ambition. Pour une femme, le seul fait d'exprimer sa volonté était un défi admirable. J'aurais dû comprendre qu'elle avait besoin de moi vivante pour atteindre son but, son but n'étant pas de me sauver la vie, mais de triompher.

Entre l'amour boursouflé de ma mère et l'intransigeance de mon père, fallait-il choisir ?

Mon père m'aimait aussi, à sa façon. Clytemnestre avait beau le traiter de lâche, je n'étais pas de son avis. En tant que chef de l'armée grecque, il aurait pu désigner une autre victime et sauver sa fille s'il avait été malhonnête. Son sens aigu de la justice le retenait d'abuser de son pouvoir pour échapper à ce qu'il considérait un devoir. Si l'oracle avait exigé la mort de sa fille, de quel droit pouvait-il se soustraire à la volonté divine ? Au nom de quel privilège ? En noble responsable, il était prêt à se soumettre, pour prouver à ses hommes qu'il était bel et bien leur égal, que sa richesse et sa puissance ne le mettaient pas à l'abri des tourments et que jamais il n'allait trahir ces hommes qui avaient déjà tout quitté, père et mère, femme et enfants, pour entreprendre un voyage dont beaucoup ne reviendraient pas.

Le plus beau jour

Très tôt ce matin-là, j'ai aperçu les fumées du village voisin. L'occasion était belle, et je n'ai pas su en profiter. Il aurait été facile de fuir. Les paysans m'auraient cachée. Le travail des champs n'est pas plus pénible qu'une mort violente. Un brave homme aurait fait mon bonheur. J'aurais eu des enfants.

Je suis morte de ne pas avoir pu imaginer une autre vie. La vanité a fait le reste. Renoncer aux privilèges de sa naissance. Une princesse de mon rang ! Cela ne m'était même pas venu à l'esprit. En refusant mon destin, j'aurais déçu mon père, certes, mais la guerre de Troie n'aurait pas eu lieu. Que d'hommes j'aurais sauvés de la mort ! Plutôt que de se souvenir du sacrifice d'Iphigénie, Grecs et Troyens auraient chanté mes louanges. Mais enfin, qu'avais-je besoin de célébrité et de reconnaissance ? La vie aurait dû me suffire. Peut-être que le vent se serait levé sans intervention humaine ou divine. Le grand prêtre aurait de nouveau consulté l'oracle. Qui sait ce qu'il en aurait déduit ? Je ne comprends plus la jeune fille exaltée qui a fait le choix de mourir.

Je me levai de très bonne heure pour me rendre au chevet de mon père à qui, sans témoins, je voulais annoncer ma décision. Il ne dormait pas. J'avais revêtu la robe prévue pour célébrer mon mariage. Il comprit. Nous étions déjà armés contre l'excès de sentiments. Tel père, telle fille ! En échange du sacrifice consenti, nous avons longuement prié Artémis pour qu'elle accède à nos vœux.

Ce jour fut l'un des plus beaux de ma vie. Émue par la gravité des hommes qui assistaient à mon immolation, je marchais, tête haute. J'étais « l'élue ». Imprégnée de la solennité du moment, je célébrais la victoire future des miens. L'Histoire en marche.

Stupidité ! Si le prêtre officiant avait retenu son geste, si la déesse, dans sa miséricorde, avait eu pitié de moi et s'était manifestée par des vents capables de pousser la flotte vers l'Asie Mineure, si Hélène, instruite de l'arrivée de Ménélas, son mari, et de ses guerriers, avait consenti à rentrer chez elle sans que la moindre goutte de sang n'eût été répandue, j'aurais eu une descendance, et les enfants de ma lignée, génération après génération, auraient eu un avenir. Ma mère pensait que j'aurais pu devenir mathématicienne ou philosophe. Elle n'était pas devin, c'est le moins qu'on puisse dire. Je ne suis rien devenue. Les morts n'ont pas d'avenir. Ils n'ont qu'un passé, que des pensées. Mes réflexions, aussi troublées soient-elles, ne changent rien aux faits. Dans les faits, ma fin est une constante. Le sacrifice d'Iphigénie aboutit à la mort d'Iphigénie.

9. Alouette et le bel Édouard à la Cour-du-Grand-Pin

Il y a du monde. Une brise légère décoiffe les têtes enfin débarrassées du chapeau, les mains nues se retrouvent, se reconnaissent, la peau est douce, les gens s'embrassent dans un cliquetis de lunettes. Et si Iphigénie était morte un beau jour de printemps comme celui-ci ?

On attendait la fin de l'hiver pour aller guerroyer, sauf que, évidemment, l'hiver en Méditerranée, ce n'est sûrement pas comme au Canada. Ceux qui ont déjà visité la Grèce parlent d'expérience. Les autres sont envieux. Édouard est revenu.

— Vous y êtes allé, vous ? demande quelqu'un au beau jeune homme.

— Jamais.

Les gens du quartier sont là, comme d'habitude. Quelques nouvelles têtes. Deux d'entre elles ont déjà humé pour de vrai l'air méditerranéen. Le couple se souvient encore avec plaisir d'un certain fromage de chèvre.

Alouette parle fort pour enterrer le chant des oiseaux. Jeanne aussi, pour attirer l'attention de ceux qui s'excitent à raconter leur voyage.

Certaines versions de l'histoire proposent une fin différente au drame d'Iphigénie.

Jeanne s'adresse à tous ceux qui sont rassemblés dans la Cour-du-Grand-Pin.

— Émue par le courage de la jeune fille, la déesse de la chasse aurait eu pitié d'elle et, par un tour de passe-passe digne des plus beaux numéros de magie, elle aurait substitué une biche au corps de la princesse.

— Mais Achille aurait pu sauver Iphigénie, non ? demande monsieur Brière.

— S'il avait tenu sa promesse.

— Quelle promesse ? demande Édouard.

Jeanne se tourne vers celui dont sa fille se languit. Elle sourit. Le même sourire qu'Alouette.

— Disons une promesse arrachée à cet homme en échange d'une reine dans son lit.

— Quoi ? Clytemnestre aurait couché avec Achille ? Vous en avez la preuve ? réplique Edouard, qui ne peut se contenter de suppositions.

— Qui se nourrit de preuves souffre de faim ! s'exclame Alouette.

Elle lui répond par le silence des textes à ce sujet. Il n'y est jamais question du désespoir de la mère, de ses gémissements et de ses cris en voyant s'avancer la presque morte au blanc visage. Jusqu'à la dernière minute, elle a voulu croire qu'Achille allait intervenir. Il avait promis.

Édouard et Alouette se regardent. Ils ne clignent pas des yeux de peur que l'autre se volatilise le temps d'un battement de cils. Si la terre s'élevait et que le ciel s'abaissait, ils seraient déjà dans les bras l'un de l'autre.

Jeanne leur apprend qu'Achille va mourir, lui aussi, tué d'une flèche empoisonnée au talon, le seul point de son corps que sa mère avait négligé de plonger dans le Styx.

— Et Agamemnon ? demande quelqu'un.

— Sa femme n'avait pas tort de l'accuser de faiblesse. Il fut l'unique responsable de la colère d'Artémis. Lui seul avait achevé une bête qui lui était consacrée, lui seul aurait dû payer de sa propre vie, si telle était la peine encourue, plutôt que de laisser sa fille se sacrifier à sa place. Iphigénie admirait un lâche. Après dix ans de rudes combats, le chef de guerre ne revient victorieux de la guerre de Troie que pour mourir poignardé par la main vengeresse d'Égisthe, l'amant de sa femme Clytemnestre, laquelle n'a pas oublié la mort d'Iphigénie et sa promesse de vengeance.

Cette fois, les gens oublient de congratuler, ils n'ont pas soif, ils sont troublés, confus. Comment juger ? Qui est responsable quand la victime se fait complice du crime, quand le criminel est une victime, quand l'assassin a des raisons que la raison approuve ?

Voyant s'attarder Édouard, les parents d'Alouette s'éloignent. Alouette ne sait pas quoi dire. Elle ne veut rien dire. Édouard comprend. Il grimpe. Dans l'arbre. Jusqu'à elle. Alouette rit. Voilà ! Il n'en faut pas plus pour les rendre heureux. Un baiser peut-être ?

Derrière le rideau de la maison, Jeanne et Jean s'embrassent aussi.

Édouard s'occupe d'aiguiser le calame, il fournit le papier et surprend sa belle amie avec des encres de couleur. Son souffle assèche les pages. Pour chaque page, un baiser.

À la Cour-du-Grand-Pin, dans l'arbre, nos tourtereaux se becquettent et roucoulent. Ils goûtent l'un à l'autre et se repaissent d'Astyanax, l'enfant qu'ils couvent et dont ils préparent, chacun à sa façon, non pas la naissance – Astyanax est mort depuis des siè-cles –, mais l'organe qui va lui redonner de la voix.

Quand l'histoire d'Astyanax sera ter-minée, la table le sera-t-elle ? Aurait-il fallu garder le secret ? Édouard n'a pu résister au bonheur de décrire la mosaïque aux colombes s'abreuvant à une fontaine. L'ébéniste s'est surpassé.

Qu'en pense Alouette ? Est-ce un appât ? Un geste tendre ? Elle n'en veut pas à ce père trop sentimental. En temps et lieu, elle verra l'objet. Qui sait ce qu'elle décidera ? Il ne faudrait pas la croire indifférente.

Les recherches continuent. La guerre de Troie occupe son esprit. Pour la seconder, Édouard, qui vient chaque jour lui rendre visite dans son arbre, consulte des cartes anciennes et l'aide à préciser certains faits d'armes. L'archéologie a permis d'exhumer les vestiges d'une guerre qui aurait détruit la ville de Troie. Bien que certains faits corroborent la légende, l'histoire telle que racontée par Homère et ses successeurs doit beaucoup à l'imagination. Édouard abandonne le sujet. Imaginer n'est pas de son ressort. Il s'intéresse plutôt à l'éruption du Vésuve.

En effet, il a découvert que le fameux Pline l'Ancien a péri lors de la catastrophe en l'an de grâce 79. Depuis, il lit sur le sujet et son intérêt pour les volcans devient une obsession. Alouette, passionnée par le passionné de volcans, brûle d'un amour fougueux. Elle en vient tout naturellement à partager sa voracité. Ensemble, ils s'instruisent et deviennent vite imbattables sur les éruptions volcaniques passées, présentes et à venir. Ils font des projets qui ressemblent à ceux de tous les amoureux, à la différence près qu'ils s'imaginent escaladant des montagnes de lave refroidie sur tous les continents, ils se voient vivant dangereusement dans une région à haut risque d'éruption, ils se veulent aux premières loges de l'éveil d'un volcan, ils sont jeunes et ambitieux.

L'heure, cependant, n'est pas venue de parcourir le monde. Alouette doit chasser son bel Édouard qui la distrait, elle doit achever ce qu'elle a entrepris. Astyanax est si jeune ! Pour comprendre cet enfant et ce qu'il raconte, elle se doit de ne penser qu'à lui.

— Que vois-tu ? lui demande Édouard avant de la quitter pour aller lire plus bas, sur la pelouse, pas trop loin tout de même, au cas où elle aurait besoin de quelque chose.

— Le ciel de Grèce.

— Quoi encore ?

— La mer Égée. Au moins cent mille hommes sur des bateaux. « Terre ! » crie quelqu'un, alors qu'un autre crie : « Troie ! » Dans la ville, je le vois, dans le palais, dans la cour du palais, le plus beau des enfants.

10. ASTYANAX

« L'illustre Hector tendit les bras vers son fils. Mais l'enfant se coucha sur le sein de sa nourrice à la belle ceinture, criant, épouvanté à la vue de son père, du bronze et de l'aigrette en crins de cheval qui s'inclinait, terrible en haut du casque. Son père et sa mère respectables éclatèrent de rire. »

Homère

Enfant de la guerre

On me nomme Astyanax. Je fus l'enfant unique d'Andromaque et d'Hector. Né pendant la guerre de Troie. Chaque soir, en revenant du combat, mon père se jetait dans les bras de ma mère, puis il venait vers moi. J'avais beau me cacher, il me trouvait. Il riait en me soulevant. J'aurais préféré ne pas le voir, il était sale, il sentait fort, la sueur, le sang, j'avais peur de cet homme qui se relevait jour après jour d'entre les morts pour venir m'embrasser.

Lui disait qu'il avait de la chance de pouvoir étreindre son fils, de soigner ses blessures et de se reposer auprès de sa femme. « Eux, là-bas – ainsi désignait-il les Grecs –, nos ennemis, ils sont privés de leur famille, ils sont loin de leur terre et de leur demeure. » Mon père éprouvait de la pitié pour ceux qui voulaient sa mort.

Dans la cour du palais, je jouais à me battre avec les autres enfants. Nous, les Troyens, nous étions les plus forts. Les mieux entraînés. Notre cause était légitime. J'apprenais à tenir une arme en rêvant du jour où j'allais me joindre aux guerriers. Les femmes se plaignaient de mes jeux salissants, elles jetaient au feu mes épées, qu'elles confondaient avec de vulgaires bâtons. Se moquant de mes bravades, elles me giflaient quand j'osais compter les morts. Mes additions exaspéraient les mères, les épouses, les sœurs, les filles de ceux qui, ce jour-là, ne s'étaient pas relevés.

Je disais : « Et l'honneur ? Et la gloire ? »

Des mots vides, répondaient-elles en battant l'air de leurs bras inutiles. Les mots n'embrassent pas, ils ne font pas l'amour, ils ne font pas d'enfants, ils ne sauraient remplacer un père, un mari, un frère, un fils.

Quand la reine Hécube n'était pas occupée à craindre pour ses enfants, pour Hector, son aîné, mon père, et à gémir, à se lamenter, elle se disputait avec Priam, roi de Troie, son mari, dont les imprécations continuelles l'exaspéraient.

Le plus pénible, en temps de guerre, c'est le conflit qui n'en finit plus, un combat quotidien. La routine. L'ennui. Jamais de trêves. On se lasse de jouer à la guerre pendant dix ans. Pour supporter tout ça, il fallait être aveugle devant le spectacle répétitif du sang répandu des blessures et sourd aux cris, muet devant la peine des survivants.

Heureusement, à l'occasion, quelqu'un évoquait la vie bienheureuse d'avant et les souvenirs de vallées verdoyantes où les chevaux galopaient librement, de chèvres broutant tout leur soûl et de baignades dans la mer. Ces fantaisies animaient mon imagination, qui en avait bien besoin. Ma mère aurait aimé m'emmener à la plage, elle me décrivait le sable chaud, le goût salé de l'eau. Elle espérait me faire rêver pour me voir abandonner ce jeu sanglant qui était mon pain quotidien. Sauf qu'entre la plage et moi, il y avait cent mille guerriers. Mon nouveau défi consistait à les abattre un à un en les faisant beaucoup souffrir pour qu'enfin, je puisse m'offrir une baignade digne de ce nom.

Conversation avec Hélène

Quelquefois, j'allais voir Hélène à cause de qui, disait-on, cette guerre n'en finissait plus. Elle se regardait vieillir dans le miroir.

« Je vieillis, ne trouves-tu pas, Astyanax ? regarde ce front ! »

Certes, elle en avait du front , me disais-je, à rester là, alors que son retour chez les siens aurait ramené la paix. Là-bas, elle avait un mari, une fille. Une mère, à mon avis, devait s'occuper de son enfant. D'ailleurs, je ne sais pas ce que les hommes lui trouvaient. Entre toutes les femmes, pour moi, la plus belle, c'était ma mère. Jamais Andromaque ne m'aurait abandonné !

« Pourquoi tu ne vas pas la voir, ta fille ? Elle ne te manque pas ? »

« Elle est mieux sans moi », disait Hélène en détournant les yeux.

Cette remarque était une énigme. Il me semblait évident que les enfants avaient besoin de leur mère, c'était dans l'ordre des choses. Je connaissais une petite fille qui avait perdu la sienne et elle en souffrait. Hélène se croyait-elle indigne d'élever Hermione ?

Encore aujourd'hui, je m'interroge sur ce qui retenait cette femme chez les Troyens. Elle n'était pas prisonnière. Aux portes de la cité se tenait un époux prêt à lui pardonner. Mais le pardon sied aux coupables... Hélène se disait plutôt victime de circonstances exceptionnelles. À ceux qui ne manquaient pas de lui en vouloir, elle répliquait n'avoir rien à se reprocher. « Cette tuerie ne me concerne pas, disait-elle. C'était mon destin que d'être aimée et enlevée par Pâris. »

S'il fallait en croire sa version des faits, elle n'était que l'instrument d'une volonté divine. Le roi des dieux de l'Olympe, le grand Zeus lui-même, en personne, aurait été pris à partie par les déesses qui se disputaient le titre de reine de beauté. Pour éviter la zizanie et ce rôle de juge qu'il se refusait d'assumer, il aurait proposé de demander l'avis d'un mortel libre et sincère. Mon oncle Pâris, fils du roi et de la reine de Troie, fut désigné. Trois magnifiques déesses lui seraient apparues : la superbe Héra, épouse du maître de l'Olympe, Athéna, déesse de la guerre, fière et flamboyante dans son armure, et Aphrodite aux longs cheveux ensorcelants, la déesse de l'amour. Le prince, à qui la première et la seconde avaient offert le pouvoir et la puissance guerrière, avait choisi la troisième, laquelle lui avait promis, en retour, l'amour de la plus belle des femmes. Qu'Hélène fût déjà mariée et mère de famille ne fut pas considéré comme un obstacle ni par Zeus, dont la réputation d'infidélité était plus que méritée, ni par Pâris, qui se sentait en droit d'exiger son dû. Hélène aurait refusé qu'on l'aurait accusée de trahir les divinités. Son devoir était d'obéir. Elle suivit l'homme à qui elle était promise, d'autant plus qu'il était jeune, beau et riche ; plus beau, plus jeune et plus riche que Ménélas dont elle commençait justement à se lasser.

« À cause de toi, il y a la guerre. »

« Tu ne peux pas t'imaginer, très cher Astyanax, le nombre de prétextes que les hommes s'inventent pour se battre ! Et ils voudraient que je me sente responsable ? »

Conversation avec Cassandre

Hagarde, Cassandre déambulait dans le palais, offrant à qui ne voulait pas l'entendre ses visions apocalyptiques. La défaite des Troyens hantait chacune de ses prédictions. On la disait folle. Même sa mère Hécube avait renoncé depuis longtemps à trouver un mari pour cette vierge effarouchée. Personne ne voulait de cet oiseau de malheur. Moi seul étais tenté de croire à ses divagations. Je l'interrogeais.

« Mon père va mourir ? »

« Il va mourir. »

« Ses frères ? »

« Aussi. »

« Son fils ? »

« Tu seras le dernier. »

« À mourir ? »

Comme les vivants étaient encore nombreux, je me disais que j'avais le temps de vieillir. Cassandre pleurait en m'enveloppant de sa robe. Elle disait :

« Mon pauvre, pauvre petit, regarde ce qu'ils t'ont fait, tu es tout cassé ! »

« Arrête, non, non, lâche-moi, je ne suis pas cassé, regarde comme je cours vite ! »

Et je courais me réfugier dans les bras de ma mère.

Le maître et l'élève

« À quoi bon apprendre tout ça, puisque je vais mourir ? »

« Qui te l'a dit ? »

« Cassandre. »

Les efforts du maître pour m'instruire étaient peu fructueux. Comment s'intéresser à l'étude quand on sait qu'on va mourir ?

Andromaque

Ma mère avait une peau si douce qu'à la caresser, j'oubliais les sombres pressentiments de Cassandre. La guerre de Troie n'aurait pas eu lieu si seulement on avait écouté Andromaque.

« Tais-toi, femme de mon fils ! » avait ordonné Priam, qui refusait l'ingérence des femmes dans les affaires de la cité.

Son seul tort avait été d'oser prendre parti pour ceux qui proposaient de remettre Hélène aux émissaires grecs.

Et lorsqu'elle s'était permise de critiquer Pâris qui, selon elle, abusait de la situation en retenant une femme pour le seul plaisir de l'exhiber, celui-ci s'était fâché et lui avait intimé l'ordre de se taire.

« Qui te demande ton avis, femme de mon frère ? Comment oses-tu manquer de respect à Aphrodite et mettre en doute la justice divine ? Ne crains-tu pas le courroux de Zeus ? »

« Si les dieux ont à ce point mépris des créatures terrestres, s'il nous faut subir les caprices de déesses frivoles, autant dire que nous sommes tous des esclaves », avait répondu ma mère.

« Blasphématrice ! »

Les invectives de Pâris affermissaient la volonté d'Andromaque. Pour convaincre le roi Priam de raisonner ce fils vaniteux qui mettait en péril le royaume pour une lubie, elle ne craignit pas de déplaire. Même à son mari qui, bien que l'aimant tendrement, refusait d'intercéder pour la paix. Hector était un guerrier. La guerre était sa raison de vivre. À moi seul elle confiait sa peine. Je n'en étais pas vraiment digne. J'avais honte de celle qui ne savait pas garder sa place.

Un soir, mon père n'est pas rentré. Les gémissements des servantes étaient plus excessifs que d'habitude. Hécube hurlait sa douleur et se lamentait à fendre l'âme. On m'interdisait d'aller rejoindre ma mère. Que se passait-il donc ? Je me doutais bien que quelque chose d'horrible venait de se produire. En imaginant le pire, pour je ne sais quelle raison obscure, je me sentis soulagé d'un grand poids. Il n'y avait plus rien à redouter. La disparition d'Hector mettait fin à la crainte de le perdre. À la peur. À l'attente. J'étais calme, malgré l'agitation au palais. Puis, à l'idée qu'il était peut-être encore vivant, car on serait venu me chercher afin que je rende les derniers hommages à sa dépouille s'il avait été mort, je me remis à souffrir.

Ma mère vint très tard à mon chevet. Je ne dormais pas. Elle avait pleuré. Il fallait que je sache. Astyanax, fils du défunt Hector, ne devait pas ignorer l'humiliation qu'Achille avait fait subir à son père. Ainsi, elle me raconta le dernier combat d'Hector. Le Grec avait attaché la dépouille du Troyen à son char et, sous les yeux horrifiés d'un peuple fier, l'avait traîné dans la poussière et abandonné, défiguré, au pied des murailles de la cité.

Le cheval de Troie

Contrairement à ce qu'avait prédit Cassandre, qui continuait pourtant de gémir sur le sort des nôtres, les Grecs furent défaits. Du jour au lendemain, ils abandonnèrent le site de Troie. J'avais beau lui répéter qu'ils étaient partis, que les bateaux n'étaient plus en rade dans le port, je voyais l'horreur dans ses yeux, sa robe déchirée. Elle voulait me montrer sa blessure, mais il n'y avait pas la moindre rougeur, si ce n'est celle de l'émotion trop vive qui lui venait de ses visions. Pauvre Cassandre !

Moi aussi, comme les autres, j'ai douté de ses dons de voyance.

Les Grecs avaient laissé un souvenir de leur passage : un gigantesque cheval de bois trônait sur la plage. Était-ce une ruse ? Un piège ? Des hommes se cachaient-ils dans le ventre creux de la bête ? Avec méfiance, on y enfonça une lance qui resta figée dans les entrailles. Rien ne remuait à l'intérieur. Quelqu'un cria : « Qu'on le brûle ! » Ce cheval avait si fière allure qu'à l'idée d'un tel sacrilège, les cœurs se serraient, indignés. À aimer les jolies choses, les Troyens furent bien punis. Après trop courte réflexion, Priam décida d'accueillir ce monument à la gloire d'Athéna. Ordre fut donc donné de transporter le cheval à l'intérieur des murs.

Cette victoire si soudaine, si invraisemblable, fut débattue durant des heures. Enfin, las d'attendre une permission qui ne venait pas, les gens se mirent à fêter. Comment les empêcher de boire ? Tandis que les hommes encore valides sombraient peu à peu dans l'ivresse, nous, les enfants, nous nous enivrions de soleil, nous nous roulions dans le sable, dans les vagues, sans trop nous éloigner de la plage. Aucun de nous ne savait nager. Ma mère avait dit : « Je te rejoindrai ». Ce qu'elle fit. Comme un reproche à l'humanité tout entière, elle exhibait le sang d'Hector sur sa robe jaune. Dans l'eau, voulait-elle se laver des saletés de la guerre ? Ou venait-elle seulement à ma rencontre, inquiète pour moi, se souciant de moi ? Le sang dilué lui faisait une traîne vaporeuse.

Quand elle me dépassa sans même m'accorder un sourire, je crus que le soleil l'avait aveuglée et qu'elle me cherchait encore. La voix des vagues était tellement plus puissante que la mienne ! Je m'efforçais de courir, mais l'eau me retenait, me repoussait vers la rive, la mer est plus musclée que ne le sera jamais un petit enfant frêle et malheureux.

Andromaque s'enfonçait dans l'eau pro-
fonde.

Avant que l'eau se referme sur ma mère,
celle-ci s'est peut-être souvenu de moi, elle a
eu pitié de moi. « Jamais séparés, a dit ma mère
en m'arrachant à ce bouillon, ensemble, toujours, toute la vie. » Elle a tenu promesse.

La vie est si courte.

La mort, quoi qu'on en dise, ne réunit pas
ceux qui s'aiment.

Cette nuit-là de réjouissances fut la seule.
Les Grecs cachés dans le cheval profitèrent
de l'obscurité et de l'ivresse de la population
pour attaquer. Ce fut un massacre. Pas un
homme ne fut épargné. Quant aux femmes
et aux enfants, ils furent rassemblés sur la
place publique et attribués comme esclaves
aux chefs de guerre. Ayant été longtemps
privés de femmes, les soldats se soulageaient
brutalement. Peu leur importait l'âge de leurs
proies. Je reconnus même parmi les assaillies
certaines de mes compagnes de jeux à peine
plus vieilles que moi : « Des enfants », mur-
murait ma mère. Je sentais sa main crispée
sur mon épaule.

Il me semble sentir encore chacun de ses
ongles enfoncés dans ma chair. Je revois ma
grand-mère quitter le palais. Déjà ébranlée
par la mort de son mari et de tous ses fils, la
reine vacille à chacun de ses pas. Pourquoi
cette épreuve ? À son âge ! Où l'emmènent-

ils ? Que crie-t-elle ? Qu'a-t-elle perdu ? Qui donc a perdu la raison ? Cassandre ? Où est Cassandre ? Qu'ont-ils fait de Cassandre ? Qui a déchiré sa robe ? Qui soigne sa blessure ? Ma mère dit : « Cache-toi ! » Elle a peur pour moi. Fallait-il vraiment que je me cache dans le tombeau d'Hector ? Quelle est cette odeur ? Pourquoi cela pue-t-il autant ? Faut-il supporter longtemps cette puanteur extrême ? Peut-on s'habituer à la puanteur extrême ? Et si je lui retirais son casque, à mon père ? Si je me revêtais de son armure ? Ainsi harnaché, je serais le plus fort. Assez fort pour repousser les envahisseurs et défendre ma mère, ma pauvre mère que l'on force à se remarier avec un Grec. Mais qui donc me veut du mal ? Comment me défendre ? Père, que dites-vous à votre fils dont on veut la mort ? Pourquoi ne dites-vous rien ? Avez-vous perdu la langue ? Qui a dévoré votre langue ? Qui a retiré de vous toute chaleur ? Il fait froid. Pourquoi fait-il si froid ? Quand est-ce que ma mère va revenir ? Et si elle ne revient pas ? Si elle arrive trop tard ? Combien de temps faut-il pour mourir ? Ils vont l'interroger pour savoir où je suis, où je me cache. Que vont-ils lui faire ? Iraient-ils jusqu'à la torturer ? Oseraient-ils la tuer ? Comment le savoir ? Comment vivre sans elle ? Comment mourir sans elle ?

S'il faut mourir pour la sauver, je veux bien, je veux bien sortir d'ici, ne lui faites pas de mal surtout, ne me faites pas de mal, je viens, je viens (trop de lumière), où m'emmenez-vous ? où est ma mère ? laissez-moi, je vous en supplie, pas le casque de mon père ! non, il est à moi, où allons-nous ? j'ai faim, jusqu'où ? Jusque-là, mais c'est dangereux, je n'ai pas le droit, les enfants n'ont pas le droit de venir jusqu'ici, c'est interdit, il faut que je demande à ma mère, elle va s'inquiéter.

Ils disent : « Avance ! »

J'avance.

Je pouvais encore m'enfuir, je suis agile et rapide quand je le veux, j'aurais pu leur échapper.

« Avance ! »

J'avance.

Cassandre m'avait dit que je serais le dernier à mourir. Si donc tous les hommes sont morts, je suis vieux déjà. Le vieux tout petit que je suis, sept ans, doit se montrer digne.

J'ai su d'instinct qu'il ne fallait pas appeler ma mère à mon secours. Ils m'ont poussé dans le vide du haut de l'une de nos belles collines. Toujours, on nous interdisait, à nous, les enfants, d'approcher du précipice, parce que c'était dangereux. J'en ai déduit que je n'étais plus un enfant.

11. Au chant de l'Alouette

À défaut d'avoir pu libérer le Minotaure, sauver Icare de la noyade, substituer une biche à Iphigénie sur l'autel du sacrifice et protéger les enfants d'Héraclès, Alouette espérait au moins sauver Astyanax. Il aurait pu être ce petit frère qu'elle n'a pas eu, un confident à la bouche cousue de fils d'or. Du haut du pin sylvestre, comment recueillir un corps en chute libre, comment franchir l'espace et le temps ?

Astyanax du royaume des Ombres est une voix, l'une des multiples voix d'Alouette dans le royaume de l'arbre. Il s'est tu. Quand les voix se taisent, le chœur antique salue. C'est la fin. La fin aussi du calame. Sa pointe s'est émoussée. Alouette jette un dernier coup d'œil aux alentours, mais le feuillage dense des arbres l'enferme dans un univers intime qui l'étouffe. C'est la fin de l'histoire d'Alouette à la Cour-du-Grand-Pin. De nouvelles tragédies dans le voisinage, la ville, le pays, le monde l'appellent ailleurs, autrement, au cœur de l'action ; elle se sent prête désormais à changer le monde. Elle serait un oiseau véritable qu'il serait temps de prendre son envol. D'oiseau, elle ne porte que le nom. Elle se méfie des ailes, des plumes qui se fendillent, elle n'a que faire d'un calame usé. Pour écrire, un stylo suffit ou le clavier d'un ordinateur. Elle s'ennuie de sa mémoire. Se souvient-elle encore de son mot de passe ?

Sans peine et avec la même détermination que pour s'élever, elle descend de son arbre. Elle hésite avant de mettre le pied sur la terre ferme. Un pas, deux pas, le plus dur est fait, les autres suivent. Autant de pas que de jours dans l'arbre. Jean est dans son atelier. Alouette veut voir la table, elle passe une main sur la surface, dit : « C'est du beau travail ». Dans la cuisine, il y a Jeanne. La mère est à laver le riz, Alouette dit : « Avec des asperges, ce serait bon ». D'accord pour du riz aux asperges. Alouette cherche le disque d'Irène Papas et de Papathanassiou, elle s'étend sur son lit, sous le plafond repeint bleu ciel de Grèce, parmi les ruines. Au son des encouragements guerriers, elle reconnaît Homère, dont le buste aux yeux aveugles la domine, et les dieux de l'Olympe dans les reproductions de tableaux célèbres accrochés sur les murs de sa chambre. Le téléphone sonne.

— C'est pour toi ! crie Jeanne d'en bas.

— Édouard ?

Un jour, qui sait, ces deux-là auront des enfants vrais, pas seulement des enfants tragiques, des enfants morts, des fantômes d'enfants. Et ils seront aussi dévoués qu'on peut l'être à la cause des enfants démunis, aux volcans et autres éruptions.

En attendant, ils se sont donné rendez-vous pour acheter des articles scolaires. Alouette a besoin de souliers neufs et son amoureux, d'un nouveau sac à dos. Il arrive tout de suite. Ça sent bon le riz aux asperges. Le riz aux asperges avec du parmesan fraîchement râpé : divin !

Remerciements

Je remercie Danièle Marcoux et Brigitte Seux, qui sont d'exigeantes et lumineuses lectrices, ainsi que mon éditrice, Édith Madore, tout aussi attentive et efficace, sans oublier mon compagnon et mes enfants, dont les remarques sensibles et sensées ont éclairé mon travail.

Je tiens aussi à rendre hommage à quelques inspirateurs de haut vol, dramaturges des temps passés (Eschyle, Euripide, Sophocle) et d'aujourd'hui (Mouawad, Mouchkine, Chaurette), lesquels m'ont offert de quoi ruminer dans le « ruminoir ».

Dans la tradition antique, les grandes tragédies étaient souvent accompagnées par un chœur. Pendant que s'écrivait *Les Enfants de la Tragédie*, le chœur Les Rhapsodes, dont je suis membre, m'a offert l'accompagnement musical et dramatique dont j'avais besoin pour que tout chante.

Table des matières

1. Alouette entre la vie et la mort....................7

2. MINOTAURE 25
   Le labyrinthe...27
   Ma mère..29
   Mon père 31
   Mon seul ami 34
   L'animal en moi...36
   Thésée 39
   L'homme que je suis 41
   Une ombre..43

3. De calame en dédales, Alouette revit........45

4. ICARE...51
   Enfantillages 53
   La princesse et moi 57
   Le monstre et moi......................................60
   Lâchetés...62
   Crime… 65
   … et châtiment...67
   Pauvre goéland !..72
   Folles espérances.......................................76

5. Alouette s'amourache
   d'un garçon de ruelle au beau visage 79

6. LES ENFANTS D'HÉRACLÈS 89
   Cinquième enfant.......................................91

Quatrième enfant 92
Troisième enfant......................................93
Deuxième enfant 95
Premier enfant 96

7. Pour oublier le garçon
   de ruelle, Alouette s'oublie.........................99

8. IPHIGÉNIE 103
   Promesse d'hyménée 105
   En chemin..110
   Révolte...111
   Achille 116
   La nuit porte conseil 120
   Le plus beau jour 123

9. Alouette et le bel Édouard
   à la Cour-du-Grand-Pin 127

10. ASTYANAX 135
    Enfant de la guerre...............................137
    Conversation avec Hélène 140
    Conversation avec Cassandre 143
    Le maître et l'élève 145
    Andromaque..146
    Le cheval de Troie 149

11. Au chant de l'Alouette................................155

Dans la même collection

1. *L'homme à la hache*
Laurent Chabin

2. *Dernier train pour Noireterre*
Frédérick Durand

3. *Les Enfants de la Tragédie*
France Ducasse

4. *Que ma blessure soit mortelle !*
François Canniccioni

Achevé d'imprimer
sur les presses de AGMV-Marquis
en août 2003